o tempo não para

o tempo não para

Tamara Ireland Stone

Tradução de
Débora Isidoro

ROCCO
JOVENS LEITORES

Título original
TIME AFTER TIME

Copyright © 2013 *by* Tamara Ireland Stone

Todos os direitos reservados. Nenhuma parte desta obra pode ser reproduzida ou transmitida por qualquer forma ou meio eletrônico ou mecânico, inclusive fotocópia, gravação ou sistema de armazenagem e recuperação de informação, sem a permissão escrita do editor.

Edição brasileira publicada mediante acordo com Taryn Fagerness Agency e Sandra Bruna Agencia Literaria, SL. Todos os direitos reservados.

Direitos para a língua portuguesa reservados
com exclusividade para o Brasil à
EDITORA ROCCO LTDA.
Avenida Presidente Wilson, 231 – 8º andar
20030-021 – Rio de Janeiro – RJ
Tel.: (21) 3525-2000 – Fax: (21) 3525-2001
rocco@rocco.com.br | www.rocco.com.br

Printed in Brazil/Impresso no Brasil

GERENTE EDITORIAL Ana Martins Bergin **EQUIPE EDITORIAL** Larissa Helena Manon Bourgeade (arte) Milena Vargas Viviane Maurey	**PRODUÇÃO** Gilvan Brito (arte) Silvânia Rangel (gráfica) **PREPARAÇÃO DE ORIGINAIS** Nina Lopes **REVISÃO** Armenio Dutra Wendell Setubal

CIP-BRASIL. CATALOGAÇÃO NA FONTE.
SINDICATO NACIONAL DOS EDITORES DE LIVROS, RJ.

S885t Stone, Tamara Ireland
O tempo não para / Tamara Ireland Stone; tradução de Débora Isidoro. – Primeira edição – Rio de Janeiro: Rocco Jovens Leitores, 2016.

Tradução de: Time after time
ISBN 978-85-7980-275-1

1. Ficção americana. I. Isidoro, Débora. II. Título.

16-30362
CDD – 828.99153
CDU – 821.111(41)-3

Este livro obedece às normas do
Acordo Ortográfico da Língua Portuguesa.

*Para Aidan e Lauren, irmãos e melhores amigos.
Donos do meu coração.*

O tempo explicará.
Jane Austen

agosto de 2012

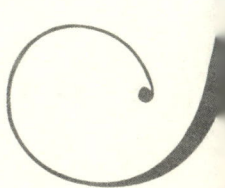

1

são francisco, califórnia

Nada mudou. Passei três meses fora, estou há outros três meses de volta, e ainda assim tudo continua exatamente igual ao que era antes da minha partida.

– Vocês vão à festa da Megan na semana que vem? – pergunta Sam.

Meu olhar passeia pelo grupo enquanto todo mundo assente. É claro que eles vão. O verão está quase no fim, e os pais de Megan, que são ricos, nunca estão em casa, uma combinação que garante muitas oportunidades para beber e ficar com alguém.

– E você? – Sam aponta para mim com o queixo. – Também vai, Coop?

– Não posso – respondo, evitando olhar para ele. – Vou viajar.

Inclino a cabeça para trás e dou um gole no meu Gatorade. Nós oito passamos a última hora andando de skate no Parque Lafayette, e estou com muita sede.

– De novo? – Ele pega um punhado de Doritos e passa adiante o pacote. – Você perdeu a última festa da Megan. Foi épica. – Todo mundo concorda com a cabeça de novo. Ryan imita Sam dizendo que "foi incrivelmente épica".

Desvio o olhar e dou de ombros.

– Odeio ter que perder a festa, mas prometi a minha mãe que visitaria minha avó antes do início das aulas.

Sinto um pouco de culpa por essas mentiras: provavelmente eu não iria à festa de Megan nem que estivesse em casa, e minha mãe sequer imagina que vou visitar minha avó.

Sam pigarreia e olha para as pessoas do grupo.

– Quem está com o biscoito? – Drew também pega um punhado, e a embalagem vai passando de mão em mão até voltar para Sam. – Tem certeza de que não tem outro motivo para sair da cidade? – pergunta ele.

Todo mundo para de mastigar e olha para nós dois, esperando minha resposta.

Eu me apoio no skate.

– Tipo o quê?

Meu coração dispara, mas me forço a ficar parado. Quero parecer tranquilo e indiferente. Afasto Anna dos meus pensamentos e espero que isso me deixe mais convincente.

Um sorriso ergue os cantos da boca de Sam. Sinto todo mundo trocar de posição à nossa volta. De repente, Sam enfia a mão no pacote de biscoito e atira um na minha cabeça, mas eu desvio e o Doritos passa direto por mim.

– É brincadeira – diz ele, e todos riem e voltam a mastigar.

Ryan pega o celular no bolso e dá uma olhada na tela.

– Acabou o recreio.

Ele fica de pé, pega o skate e corre para a área de cimento repleta de placas de PROIBIDO ANDAR DE SKATE. Ele está certo. Provavelmente temos mais dez minutos antes de um dos vizinhos chamar a polícia.

Todo mundo faz o mesmo, mas Sam e eu ficamos para trás. Seguro o pacote de biscoito para ele se servir e, quando Sam estende a mão, levanto a cabeça e viro o pacote aberto na boca para comer as migalhas restantes.

– Pronto. – Entrego a embalagem para ele.

– Você é péssimo – diz meu amigo, mas está sorrindo quando pega o saco vazio da minha mão e o enfia na mochila. Percebo que ele me observa com o canto do olho, mas em seguida balança a cabeça e desvia o olhar. – Então – começa ele, usando de propósito um tom de voz mais suave –, Lindsey e eu encontramos com ela no cinema uma noite dessas.

– Ela? – Uso a manga da camisa para limpar a gordura e o farelo de biscoito da boca. – *Ela* quem?

Ele me encara como se não acreditasse no que acabei de perguntar.

– Megan. – Depois acrescenta: – A *gata* da Megan.

– Aquela que dá todas as festas?

– É, essa Megan. Quantas Megans *gatas* você conhece?

Dou de ombros.

– Não sei. Pelo menos... – Conto nos dedos. – Quatro.

Ele revira os olhos.

– Bom, não conheço as outras três, mas essa perguntou por você. De novo. E me pediu para levar você na festa desta vez. – Sam me olha cheio de expectativa, como se eu tivesse que me levantar e sair correndo para casa a fim de mudar meu voo. Em vez disso, fico de pé bem devagar e pego meu skate.

– Desculpe, eu iria, mas...

– Eu sei. Sua avó. Em Illinois. Que está doente.

– Isso mesmo.

Sam também se levanta e pisa na beirada do skate para segurar a outra ponta.

— Escute, você conseguiu evitá-la durante todo o verão, mas quando as aulas voltarem na semana que vem não vai ter escolha. E acho que só pode ter um motivo para você não convidar Megan para sair.

— Porque ela me deixa... no vácuo?

Ela é um ano mais nova que todos nós, e não conversei com a garota por tempo suficiente para saber se isso é mesmo verdade ou não. Mas me sinto obrigado a desviar Sam do seu "motivo".

Ele me encara.

— Se não gosta dela de verdade, eu entendo. Mas ela é amiga da Lindsey, sabe? Nós quatro poderíamos sair um dia desses. Seria divertido.

Então me lembro de quando Anna, Emma, Justin e eu fomos ao cinema. Meu braço envolvia os ombros de Anna, e Emma e Justin entravam abraçados. Já vivi um "nós quatro". Eu vivi, pelo menos.

Passo a mão pelo cabelo.

— Vou pensar, está bem?

Não vou nada, mas espero parecer sincero o suficiente para ele achar que sim.

— Não pense. Apenas convide Megan para sair. Porque, sério, ela é muito legal e, na minha humilde opinião, não te deixa no vácuo coisa nenhuma. E Lindsey gosta dela — acrescenta Sam, sabendo que esse pode ser um bom argumento.

Os outros voltam para buscar suas coisas, e me sinto aliviado. Eles se despedem e começam a descer o caminho que leva ao pé da colina. Sam vai atrás deles, mas para e olha para mim.

— Você não vem?

— Vou pegar um café — respondo, apontando para as lojas da Fillmore Street na direção oposta.

Ele se despede com um rápido "a gente se vê" e vai embora junto dos outros. Sigo meu caminho.

Quando não consigo mais vê-los, volto para o banco de onde dá para ver a enseada e fico observando os veleiros na água.

Nada mudou, mas tudo é diferente agora. Porque Anna já se sentou aqui uma vez, ao meu lado, e me entregou uma carta para dizer que eu a conheceria um dia. Eu queria que ela tivesse me avisado que, quando isso acontecesse, eu não conseguiria mais ficar ali sem ela.

2

Quando alcanço a nossa casa, no topo da colina, abro a porta e jogo o skate e a mochila no chão do hall, ao lado da planta gigantesca no vaso. Estou subindo a escada para o meu quarto quando um som estranho vem da cozinha. É o barulho de faca na tábua de cortar e... alguém cantando.

Meu pai ainda não devia ter voltado do trabalho, e esta noite minha mãe tinha uma reunião de planejamento para angariar fundos para uma de suas campanhas. Eu me viro e desço a escada em direção à cozinha, e lá encontro minha irmã, Brooke. Ela prendeu o cabelo em um rabo de cavalo e está em pé diante da bancada, cercada de vegetais.

Brooke cantarola enquanto corta alguns aspargos.

– O que você está fazendo? – pergunto, e ela ergue os olhos, sorrindo, e acena com a faca.

Minha irmã volta ao trabalho e eu ando pela cozinha, analisando a montanha de produtos frescos e avaliando a situação.

– Pensei em fazer vegetais à moda chinesa para o jantar – responde ela orgulhosa.

Paro ao seu lado e me apoio na bancada.

– Desde quando você sabe fazer comida chinesa?

Ela dá de ombros e continua cortando os vegetais.

– Não sei. Estou treinando para minha nova vida pós-alojamento. Caroline me mandou uma mensagem hoje, e, neste exato minuto, enquanto a gente conversa aqui, ela está descarregando o carro e levando várias coisas para o nosso novo apartamento. Shona chega lá amanhã. – Ela olha para mim. – Uma de nós precisa saber cozinhar.

Brooke deixa a faca sobre a tábua de corte, pega os aspargos e joga em uma vasilha. Depois esfrega as mãos.

– Daqui a alguns dias eu volto para Boulder, me instalo no meu novo quarto e supero de vez a fase dos dormitórios. – Minha irmã me encara. – E vou morar com quem eu realmente gosto. Pessoas legais. Como aquelas com quem morei em Chicago.

Brooke e eu passamos a maior parte do verão conversando sobre os três meses que passei em Evanston em 1995, enquanto ela estava em Chicago em 1994. Ela me contou sobre as duas pessoas que encontrou no *Sun-Times* e o apartamento que dividiram em Wrigleyville. Sobre o tempo em que servia mesas num restaurante da região de dia, e à noite assistia a shows de música ao vivo nas boates. Suas companheiras de apartamento gostavam de tudo, de jazz a punk, e iam a todos os shows. Até a noite folk toda terça, quando uma mulher gorda se sentava em uma banqueta de madeira com o violão acústico e cantava velhas canções, como "American Pie" e "Leaving on a Jet Plane", para uma casa lotada que cantava com ela. Como eu já imaginava, Brooke se adaptou muito bem. E, como eu, ela teria adorado passar muito mais tempo lá.

Mas numa tarde de domingo ela e as meninas que dividiam o apartamento estavam no deque da cobertura do prédio, tomando sol e lendo jornal, quando uma delas viu um artigo sobre os planos da prefeitura de demolir o Chicago Stadium. Aquilo chamou a atenção de Brooke. Fazia dois meses que ela não ia lá. Desde a noite em que nos perdemos um do outro.

Naquela tarde ela pegou um trem e dois ônibus até o estádio. Estava fechado, então ela contornou o prédio e deu uma olhada pelas janelas, tentando ter uma visão melhor e lembrando como me viu desaparecer bem diante dos seus olhos enquanto o Pearl Jam tocava no palco.

Brooke deu uma volta inteira, foi até a entrada dos fundos, e então sentiu uma forte dor no estômago. Menos de um minuto depois ela se curvou, gritou e fechou os olhos com força. Quando voltou a abri-los, continuava encolhida na mesma posição, mas o Chicago Stadium tinha desaparecido, assim como suas colegas de apartamento, e ela estava sozinha no meu quarto em São Francisco, no mesmo lugar de onde partimos.

– Então... – Brooke pega os brócolis e continua cortando. – Ainda vai ver Anna?

Não tem mais ninguém em casa, mas mesmo assim olho ao redor, tomado por uma súbita paranoia, antes de responder:

– Vou. Ela volta do intercâmbio no sábado. Então pensei em ir na quarta. Quero dar a ela alguns dias para ver os amigos e se reajustar depois da temporada no México.

– E o que vai dizer para nossa mãe?

Dou de ombros.

– Já falei que vou viajar com Sam para escalar.

É a vez de Brooke olhar ao redor e garantir que ainda estamos sozinhos.

— Sabe — diz ela baixinho —, seria bem mais fácil se você simplesmente fosse a Evanston e voltasse para cá como se nunca tivesse ido embora.

Eu a encaro, mas minha irmã não ergue os olhos.

— E perder mais três dias inteiros? Se *eu* perder esses dias, você também perde. Quer mesmo perder mais três dias da sua vida?

— Depende — responde ela. — Se eu receber outra multa por excesso de velocidade, isso vai ser uma vantagem. Mas se eu conhecer um cara incrível e você estragar tudo, nunca vou perdoar. — Ela me encara e sorri. — Não que eu vá me lembrar dessas coisas.

— Bom, não sei o que eu estraguei na segunda vez. Então, se dá no mesmo para você, prefiro continuar dizendo que vou escalar.

Brooke pigarreia.

— É claro que você também pode facilitar muito a sua vida contando para nossos pais aonde vai.

— Você sabe que não posso fazer isso.

Brooke sabe de tudo, mas contei muito pouco aos meus pais sobre o tempo que passei em Evanston. E, o que é surpreendente, eles quase não fizeram perguntas, nem mesmo sobre minha avó Maggie. Só me chamaram até a sala e avisaram que essas viagens teriam que parar imediatamente. Era perigoso demais. Eu não tinha nenhum controle sobre aquilo, e estava na hora de começar a "viver no presente feito uma pessoa normal", como minha mãe disse. Acho que meu pai não concordou completamente, mas ficou sentado ao lado dela e assentiu, mesmo assim.

Isso foi três meses atrás. Nem quero pensar em como minha mãe ficaria furiosa se descobrisse que Brooke e eu viajamos apenas para assistir a todos aqueles shows durante o verão. Ou que estive em La Paz de 1995 na semana passada. Ou que, digamos, Anna Greene existe.

– Tenho uma ideia. – Brooke me cutuca com o cotovelo e continua: – Vou com você – falou, como se não fosse grande coisa.

Eu rio.

– De jeito nenhum, Brooke.

Ela me olha de um jeito suplicante, como se sua expressão pudesse me convencer a mudar de ideia.

– Não – digo, dessa vez com a voz um pouco mais firme. – Além do mais, você estragaria meu disfarce. Uma excursão para escalar envolve *acampar*. – Ergo as sobrancelhas ao olhar para ela. – Nossos pais nunca acreditariam que você vai acampar.

– Posso acampar, sim! – Ela cruza os braços e tamborila as unhas pintadas. – Eu posso – repete.

Olho de soslaio para ela.

Brooke põe as mãos na cintura e me encara.

– Olhe, sou sua irmã – diz com seriedade –, mas ela é sua namorada e você não pode trazê-la aqui, tipo... *nunca*. E não vai levar nossos pais para lá, é claro. Então, esse momento de "conheça meus pais" pode ser comigo.

– Não. De jeito nenhum.

– Por favor... – Minha irmã une as mãos diante do corpo. – Você sabe que ela quer *me* conhecer.

Brooke me observa pelo canto do olho, com aquela expressão que reserva para os momentos em que sabe que está certa. E está mesmo. Quando eu trouxe Anna para a São

Francisco do presente, ela foi jogada de volta imediatamente. Ela teria adorado conhecer as pessoas do meu mundo, como eu conheço as que fazem parte do dela, mas isso nunca vai acontecer.

Vou até a geladeira, mas sinto os olhos de Brooke cravados nas minhas costas. Ela acaba desistindo depois de um tempo e se aproxima do fogão, enchendo a cozinha com cheiro de óleo quente.

– Brooke?

No mesmo instante minha irmã olha para mim por cima do ombro. Não fala nada, mas sei que está ouvindo.

– Se acontecer alguma coisa, você me dá cobertura?

– De novo? – pergunta ela.

– É – respondo. – De novo.

Eu a vejo assentir.

– Claro. – Ficamos em silêncio por alguns instantes, depois ela pergunta: – O que você vai fazer com o jipe?

– Como assim?

– Não pode deixar o carro na garagem, se nossos pais acham que você vai acampar. Eles sabem que Sam não tem carro.

– Hum. Tem razão.

Se eu estacionar o jipe em uma rua qualquer ou em algum estacionamento, meu carro pode ser guinchado. E não posso deixar na casa de Sam sem inventar alguma desculpa complicada. Não acredito que essa questão do jipe nem tinha me ocorrido.

– Conhece minha amiga Kathryn? – pergunta Brooke.

– Conheço.

– Ela não precisava do carro para ir à escola, e os pais não queriam que ficasse parado na garagem o tempo todo ocupando espaço, então alugaram uma vaga em um estacionamento. – Ela faz uma longa pausa. – Encontraram o lugar na Craigslist.

– Valeu – respondo, dizendo a mim mesmo que não posso me esquecer de dar uma olhada no site depois do jantar.

– Viu? Você precisa de mim.

Brooke continua de costas, mas fico com a impressão de ter notado uma satisfação convencida em sua voz. Então ela se vira e olha para mim com um meio sorriso desanimado, mas não tem nenhum sinal de arrogância em sua expressão. Só tristeza.

– Ei, o que estava cantarolando há pouco?

Ela pensa por uma fração de segundo.

– Coldplay.

Pego o celular no bolso e faço uma pesquisa rápida.

– Munique? Em 2002? Parece que é numa boate pequena.

Ela olha para mim e grita:

– Sério? – Seus punhos estão cerrados ao lado do corpo, e, quando assinto, Brooke dança sem sair do lugar. Depois desliga a chama do fogão e olha em volta. – Nossos pais vão ficar muito bravos quando chegarem em casa e encontrarem essa bagunça.

– É, mas eles nunca vão se lembrar disso. – Vamos refazer *tudo*. Mudar vários dias deve ser perigoso. Voltar algumas horas no tempo para não ter que contar aos nossos pais que fomos à Munique assistir a um show do Coldplay é uma vantagem que devo aproveitar. – Quando voltarmos, você pode continuar de onde parou. Vamos jantar e fingir que somos uma família feliz

– Nós somos uma família feliz.

– Confie em mim – digo enquanto navego pelo site da casa de shows. – Só porque ficaram muito felizes por você ter voltado para casa, esqueceram temporariamente que estavam furiosos comigo por ter perdido você lá. Assim que você for para a faculdade, tudo vai ficar estranho entre nós três de novo.

Clico até encontrar fotos do interior da casa de shows e amplio a melhor imagem que consigo encontrar. Não tenho como saber se o lugar tinha essa aparência em 2002, mas é bem possível, mesmo que tenham feito algumas reformas, que os banheiros ainda fiquem no mesmo lugar.

– Ok, tudo resolvido.

Dou uma olhada no relógio do micro-ondas, e quando viro a cabeça outra vez, encontro Brooke parada na minha frente com os braços abertos.

Ela olha para baixo analisando a própria roupa.

– Estou bem assim? – pergunta, referindo-se a sua calça jeans, uma camisa simples e chinelos.

Não sei se é a melhor escolha usar chinelos em março, mas não quero perder tempo esperando até ela escolher outra coisa.

– Ahã, você está ótima.

Assim que seguro as mãos dela, Brooke aperta as minhas e balança os braços com nervosismo, como sempre faz. Depois fecha os olhos com força.

Fecho os meus, e lá vamos nós.

Na tarde de quarta-feira, carrego o jipe com todo o meu equipamento de camping e escalada, depois confiro pela última vez o que realmente importa. O contêiner branco de plástico está no banco da frente, e dentro dele guardei tudo que vou precisar quando voltar: uma dúzia de garrafas de água, um Doubleshot da Starbucks e uma embalagem com seis latas de Red Bull.

A música está alta, estou perdido nos meus pensamentos e pulo de susto quando alguém dá um tapa no meu ombro. Fecho o contêiner depressa e me viro, deparando com minha mãe logo atrás, tapando a boca com a mão e com uma expressão divertida.

— Desculpe! — grita ela para ser ouvida, apesar da música. — Não queria assustar você.

— Tudo bem. Espere aí.

Eu me debruço na janela para abaixar o volume do rádio.

— Como vão os preparativos?

Ela olha do capô do carro para o porta-malas lotado com equipamento de camping e cordas coloridas. A capota de material flexível já está levantada e presa no lugar.

— Tudo bem. Acho que já peguei tudo.

— Bom... isso é bom.

Ela fica ali parada, assentindo e sorrindo como se estivesse tomando coragem para falar mais alguma coisa. Distribuindo o peso sobre ambos os pés, minha mãe parece se enraizar no lugar.

— O que foi? — O tom da minha voz deixa claro que, na verdade, não quero saber.

— Será que tem alguma chance de que eu convença você a mudar de ideia sobre esse acampamento? — Minha mãe cruza os braços. — É que... Brooke vai voltar para Boulder no fim de semana, e depois você começa seu último ano no colégio, e esses serão nossos últimos dias como família.

Fico com vontade de dizer que tivemos o verão inteiro e não fizemos nada juntos "como família". Não sei por que ela acha que essa é a semana para começar, exceto por eu estar saindo da cidade e ela não querer que eu vá.

— Mãe, vai ficar tudo bem. Quero escalar com meus amigos — respondo, encaixando o saco de dormir no fundo da parte de trás do jipe para que não saia voando quando eu começar a dirigir. — São só alguns dias. Volto na sexta. — Essa parte é verdade, por isso a encarei ao falar.

— Não vai ter *nenhum* sinal de celular?

— É provável que não. Sabe como é... Pode tentar, mas vai ser sorte. — Sim. Principalmente porque meu celular vai ficar no porta-luvas do jipe, trancado em uma garagem minúscula que encontrei ontem na Craiglist.

— Bennett?

— Hã?

— Você não vai viajar, não é? — pergunta ela com a testa franzida.

Fico paralisado, mas me obrigo a adotar uma expressão relaxada.

— Você me disse para *não* viajar.

— É, eu disse.

Dou de ombros e olho fixo nos olhos dela.

— E é por isso que estou colocando as coisas no carro para ir acampar.

Isso é mentira? Tecnicamente não, mas tenho certeza de que minha mãe não veria as coisas do mesmo jeito. Ela me encara, e fico aguardando. Não sei se acabei de dizer a coisa certa ou a errada, ou algo entre os dois, de modo que ela não consegue decidir que conclusões tirar do que ouviu.

Minha mãe parece preocupada, e, meu Deus, eu preferia que não ficasse. Se ela apenas relaxasse e confiasse que tenho todas as coisas sob controle, eu poderia lhe contar *tudo*... sobre

Maggie, Anna e os Greene. Então ela saberia exatamente aonde vou, quando volto e o que tem dentro da caixa que está no banco do carona, para onde ela fica o tempo todo olhando, mas não fez perguntas sobre isso.

— Tome cuidado.

— Sempre sou cuidadoso. — Dou um beijo na sua bochecha.

— Você se preocupa demais, mãe. — Quero dizer outras coisas, mas fico quieto.

Vejo em sua expressão que ela também tem muito mais a dizer, só que, em vez disso, apenas olha para mim com um sorriso meio sério e responde:

— É bem difícil não me preocupar com você, querido.

E o assunto acaba aí.

agosto de 1995

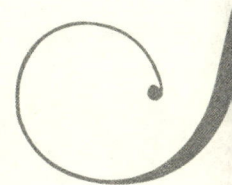

3

evanston, illinois

Empurro a porta para abri-la, os sininhos batem no vidro e um cara parado ao lado da gôndola de lançamentos se vira e olha depressa para mim. Eu entro e observo em volta. Nunca vi a livraria tão cheia.

Percorro o corredor principal procurando Anna entre as estantes. Já estou na metade da loja quando a vejo atrás do balcão. Está atendendo um cliente, por isso fico afastado e espero, tentando ignorar meu coração batendo acelerado.

O cabelo dela está mais comprido do que eu lembrava, e me dou conta de que a última vez que a vi em La Paz, no verão, ela sempre o usava preso. Agora está ainda mais cacheado, e sinto uma vontade familiar de puxar um daqueles cachos e observá-lo voltar à forma natural. O que tem de diferente nela? Anna está bronzeada, feliz e... ainda mais bonita que antes.

Está conversando com o cliente, os dedos percorrendo as teclas do caixa, depois pega o cartão de crédito, passa pela máquina barulhenta e o devolve ao dono. Nesse instante ela me vê.

Eu apenas sorrio. Noto sua expressão mudar, sendo tomada por aquela mistura perfeita de surpresa e alívio.

Anna olha novamente para o cliente e empurra a sacola cheia na direção dele.

— Aqui está — diz com uma animação que não cabe no momento. Seus olhos se voltam para mim a todo instante.

— Obrigado — responde o homem.

— Imagine. Tenha um bom trimestre.

Em vez de pegar a sacola, ele apoia o quadril no balcão e fica olhando para ela, como se esperasse Anna falar mais alguma coisa. Será que está achando que aquele sorriso é para ele? Afinal, é ele quem está ali na frente dela. Mas, de onde estou, reparo que Anna não olha *para* o cliente, e sim para *além* dele. Ela tem vários sorrisos diferentes, mas agora está exibindo o que reserva para mim.

— Tchau — conclui ela, empurrando novamente a sacola por cima do balcão, dessa vez com mais vigor, e o cliente entende o recado, porque a pega e anda até a porta.

Anna começa a vir em minha direção.

— Droga — diz o homem. — Quase esqueci.

Ele volta para perto do balcão. Anna retoma sua atitude profissional e volta para trás do caixa.

Eu a observo me lembrando da expressão surpresa que vi nela um instante atrás. Penso em como seria bom ver isso mais uma vez.

Nunca tem ninguém na seção de Viagem, então me arrisco. Eu me abaixo atrás de uma estante, me escondo e fecho os olhos. Imagino a fileira do outro lado da loja e, quando abro os olhos, estou lá. Tiro a mochila das costas e a coloco aos meus pés.

Ainda consigo ouvir a voz de Anna vindo do balcão, mas agora estou longe demais para entender o que ela diz. Olho para a prateleira onde estão os guias do MÉXICO e lembro a noite em que estive aqui, em abril.

Eu devia ter ficado estudando, mas não conseguia parar de pensar nela. Passei o dia todo estudando uma chance de poder ficar sozinho com ela para contar a segunda parte do meu segredo, mas não encontrei oportunidade. Então, antes que eu pudesse mudar de ideia, vesti a jaqueta e fui até a livraria.

Seu rosto se iluminou completamente quando ela me viu entrar, e tudo o que eu queria era beijá-la. Em vez disso, contei que tinha ido até ali pegar um livro sobre o México. Então ela me levou à seção de Viagem.

Começamos a falar sobre nosso trabalho da escola, mas depois de um tempo ela me interrompeu no meio de uma frase e disse:

— Quero ouvir o resto da segunda coisa.

Quando a fitei nos olhos, entendi o que ela queria dizer. Por isso contei tudo a ela. Que nasci em 1995. E tinha dezessete anos em 2012. Que eu não devia estar ali. Que poderia visitá-la, mas não teria como ficar.

E então, contrariando o bom senso, finalmente fiz o que tinha vontade desde o dia em que a conheci. Fiquei de joelhos e a beijei, sem me importar mais com minhas regras nem com onde ou quando eu deveria estar. Quando comecei a me afastar como sabia que devia fazer, senti as mãos dela em minhas costas, me puxando até nos encostarmos na estante e não termos mais nenhum lugar para ir, exceto os braços um do outro. E eu a beijei com mais intensidade ainda.

Os sinos da porta tocam e me trazem de volta à realidade.

— Bennett? — Ouço a voz de Anna vindo do outro lado.

Eu me inclino para espiar pelo lado da estante e encosto o peito no móvel, mantendo os olhos fixos no corredor enquanto esperava para vê-la passar. Mas não a vejo nem a escuto, por isso continuo em silêncio ouvindo sua respiração, esperando que ela apareça.

Estou prestes a dar um passo para trás, quando sinto as mãos dela me agarrando. Dou um pulo.

— Peguei você — cochicha ela no meu ouvido. Sua testa toca minha nuca e seus braços me envolvem. Sinto sua respiração.

— Isso é verdade — respondo, levando as mãos dela ao meu rosto e beijando seus dedos.

— Não vi para onde você tinha ido — comenta Anna.

— É. — Deixo escapar um risinho. — Lembra? Eu faço isso.

— Só para implicar comigo. — Seu tom de voz me faz imaginá-la revirando os olhos.

— Só para implicar com você.

— Talvez você devesse começar a usar melhor esse seu talento, em vez de só surpreender sua namorada.

— Repita essa última parte.

Ela ri e me abraça com mais força.

— Surpreender sua *namorada*.

Sorrio.

— Gosto disso.

Afrouxo seus braços em torno da minha cintura e me viro para ela. Seu rosto está tão radiante que juro que ainda nos enxergaríamos perfeitamente, mesmo se apagássemos todas as luzes da livraria.

— Oi — digo, enroscando uma mecha do cabelo dela no meu dedo.

— Oi. — Ela levanta a mão e despenteia o meu cabelo. — Você está aqui — diz, mas algo em seu tom de voz sugere insegurança.

– Estou aqui. – Toco seu rosto. – Morri de saudade de você.

Ela comprime os lábios e assente com discrição, e antes que possa dizer alguma coisa, inclino sua cabeça para trás e lhe dou um beijo suave, lento, saboreando a sensação de estar ali de novo com ela. O beijo fica mais intenso. E, como naquela primeira noite, ela corresponde e me puxa para perto, como quem me quer e ainda confia completamente em mim, embora seja provável que já saiba que não deveria fazer isso.

4

Quando o relógio marca 21h02, Anna percorre o perímetro da loja, apagando luzes e ajeitando livros no caminho. Viro a placa da porta de ABERTO para FECHADO, e vamos embora dali. Ela aperta algumas teclas ao lado da saída para ativar o alarme, depois aciona a trava da porta assim que passamos por ela.

Seguro sua mão e andamos em silêncio até o fim do quarteirão. Os sons conhecidos da cafeteria ficam mais altos a cada passo que damos, e eu respiro fundo para inalar o aroma. Estamos prestes a passar pela entrada, quando Anna para.

– Quer entrar e beber alguma coisa? Podemos passar um tempo aí.

Olho pela vitrine. Não está tão cheia quanto nas noites de sábado, quando sempre tem uma banda se apresentando, mas ainda assim é bastante movimentada. Todos os sofás estão ocupados, então a única opção que vejo é uma mesa alta no meio do salão. Quase não fiquei sozinho com ela durante todo o verão, e hoje não quero dividi-la com mais ninguém.

– Eu estava pensando em alguma coisa mais tranquila.

Ela se vira de frente para mim e segura minha outra mão.

– Nesse caso, você tem duas opções: meu quarto ou o seu. Quem quer enfrentar primeiro: meus pais ou Maggie?

Imito o barulho do cronômetro de um programa de jogos da televisão.

– Não gosto de nenhuma alternativa. Qual é minha terceira opção?

Ela ri e balança um pouco a cabeça.

– Não tem uma terceira opção.

– Claro que tem.

Anna ergue as sobrancelhas e me encara.

– Vamos ignorar seus pais e ir direto para o seu quarto. Ninguém precisa saber que estou na cidade. Ainda não.

– Tarde demais. Já contei a eles que você chegaria hoje à noite.

Estalo os dedos e rio baixinho.

– Droga.

Anna balança a cabeça de novo enquanto considero minhas opções.

– Ainda não estou preparado para Maggie – confesso, e Anna assente como se compreendesse e solta uma das minhas mãos.

Continuamos andando na direção da casa dela.

– E aí, como eles reagiram? – pergunto.

– Meus pais? – Ela dá de ombros. – Muito bem, acho. Minha mãe reagiu melhor do que meu pai à notícia de que você estava voltando, o que me surpreendeu. Na verdade, ele nem se incomodou muito, até eu contar que você tinha ido me visitar em La Paz. Ele não gostou nada disso. – Anna se vira para mim. – Ah, falei que você esteve lá duas vezes, não quatro, então, se ele perguntar, confirme minha versão, está bem?

35

Torço em silêncio para que ele não pergunte. E, também sem dizer nada, fico desapontado por ela ter começado a mentir para os pais. Ela não fazia isso antes de me conhecer.

— Não sei o que eles acham de verdade — diz Anna. — Outra noite minha mãe entrou no meu quarto para dizer que gosta de você e que está feliz porque vamos passar o último ano do colégio juntos. Ela até ficou animada quando começou a falar sobre a volta às aulas, a formatura, essas coisas.

Sinto um nó na garganta e o engulo. Anna continua:

— Mas ela e meu pai devem ter conversado sobre o assunto outra vez, porque ontem à noite, durante o jantar, pareciam menos receptivos. Falaram que eu tinha que continuar focada nos estudos e não deixar minhas notas caírem por sua causa.

— Por minha causa?

— Pois é. — Ela pisca. — Até parece.

Ergo uma sobrancelha.

— Até parece... o quê?

Ela dá de ombros de novo.

— Fala sério, você não é *tão* importante assim.

— Não. É claro que não — respondo, segurando o riso.

Anna aperta ligeiramente a minha mão.

— Você sabe que é, não sabe?

Retribuo seu carinho na mão.

— Você também é.

Passamos pela cerca que limita o quintal do vizinho, e a casa de Anna aparece na nossa frente. Exatamente como a vi na última vez, quando fui embora em maio, com arbustos altos e uma varanda que percorre toda a casa. Uma luz fraca ilumina a janela da cozinha, como acontece todas as noites.

Assim que entramos, Anna me leva em direção ao som que vem da sala de estar. Os pais dela estão lá. A sra. Greene está com os pés em cima do sofá, sob o corpo, e a cabeça apoiada no ombro do sr. Greene. Estão assistindo a um velho programa de televisão, que, lembro a mim mesmo imediatamente, nem deve ser tão velho assim.

Anna para ao meu lado e agarra meu braço com as mãos. Esse movimento chama a atenção do pai dela, que ergue a cabeça de repente e vê que estamos ali. Com os olhos arregalados, ele cutuca a sra. Greene, que se empertiga no sofá.

– Oi. Não ouvimos vocês entrarem. – Ele usa o controle remoto para colocar a TV no mudo.

O sr. Greene se levanta, estende a mão, e apesar de ter a impressão de que o cumprimento é formal demais para ele – para nós, na verdade –, aperto sua mão. A mãe de Anna acena para mim sem muito entusiasmo de onde está sentada no sofá.

– É bom ver você de novo – diz, mas sua voz soa vazia e nem um pouco sincera. Depois ela acrescenta: – Finalmente. – E é como se essa fosse justamente a palavra que ela estava se segurando para *não* dizer, mas acabou escapando.

– É bom ver vocês – respondo.

Fico ali parado, assentindo e esperando alguém falar mais alguma coisa, sentindo o desânimo me dominar. Eu devia ficar feliz por eles não estarem furiosos comigo. Afinal, não só desapareci no meio de um encontro com a filha deles, como sumi da vida de todos no meio de... bom, *de tudo*. Sei que seria demais esperar um abraço maternal ou tapinhas paternais nas costas, e eu também não contava com lágrimas de alegria em consequência da minha aparição no meio da sala. Mas eu meio que tinha esperança de que a gente não começasse do zero. Ou, pelo visto, de menos que zero.

Anna faz carinho no meu braço, e eu olho para ela. Diferente da expressão vazia da sua mãe, a dela é eloquente. Anna abre um sorriso radiante para mim, com os olhos cheios de alegria e admiração, como se não conseguisse acreditar que eu estivesse realmente ali. Sem nem pensar, suspiro de alívio e dou um beijo na sua testa; ela aperta meu braço de novo, fica na ponta dos pés e parece saltitar sem sair do lugar algumas vezes.

Quando olho para os pais dela outra vez, os dois estão observando Anna. Mas a sra. Greene se vira lentamente para mim e seus lábios formam um meio sorriso, quase como se ela não conseguisse evitar. Assinto em um gesto de agradecimento.

– Como vai sua irmã? – A voz do sr. Greene me pega de surpresa, então olho para ele.

– Ah... Ela está bem. – Penso depressa em um jeito de complementar minha resposta dando o mínimo possível de informação. – Foi complicado por um tempo, mas ela já voltou para casa. – Concluo e torço para ele não fazer mais perguntas, porque, se acontecer, terei que mentir, e eu queria muito parar com isso.

– Que bom. – Ele faz uma pausa, depois parece prestes a dizer alguma coisa. – Ah, deixe pra lá, você não deve estar querendo falar sobre isso.

– Para ser sincero, não – respondo.

Essa desconfiança não deve estar me rendendo muitos pontos, mas, pensando melhor, até que pode ser bom. Se eu começar de baixo, o tombo não vai ser tão grande quando eles souberem a verdade.

– Vamos lá para cima – diz Anna, livrando-me daquela situação difícil.

Antes que seus pais possam falar mais alguma coisa, ela me leva para fora da sala.

Tínhamos subido só dois degraus quando a mãe dela grita:
— Deixem a porta aberta!

Anna para, agarra o corrimão com uma das mãos e esconde o rosto com a outra.

Depois se recupera.

— Venha comigo. Estou louca para te mostrar uma coisa.

Pouca coisa mudou desde a última vez em que estive no quarto dela. Sua impressionante coleção de CDs ocupa todo o espaço das prateleiras, com exceção das dúzias de troféus de corrida que sustentam as caixas de CD, mantendo-os em ordem alfabética. As paredes são cobertas por papéis com os números de corrida que ficavam presos nas camisetas, e também por fotos de Anna atravessando a linha de chegada.

O quadro de avisos na parede sobre a escrivaninha ainda tem o mesmo canhoto solitário do ingresso do show do Pearl Jam de março de 1994, mas ao lado disso encontro uma coisa nova: uma foto emoldurada de Anna, Emma e Justin. A boca de Emma está aberta, como se ela estivesse gritando. Está em pé atrás de Justin, com os braços em volta de seu pescoço, e Anna está do lado direito, com a cabeça apoiada no ombro dele. A foto deve ter sido tirada em junho, depois que fui embora, mas antes de Anna viajar para La Paz. Todos parecem felizes.

— E Emma?

— Ah, não está muito bem. Passei na casa dela assim que cheguei de viagem, e ela me contou que o namoro com Justin terminou no verão.

— Sério? Por quê?

Anna se vira de costas para mim, desliza um dedo pelos CDs e escolhe um.

– Não sei exatamente por qual *motivo*, porque ainda não ouvi a versão de Justin. Passei na loja de discos um dia desses e ele estava ocupado demais para conversar. Mas, pelo que Emma me contou, ele acha que os dois não têm muito em comum... e que são melhores como amigos.

Anna coloca o CD para tocar e a música que começa é familiar, por mais que eu não consiga identificar qual é. Quando ouço as primeiras palavras da letra, reconheço imediatamente a voz de Alanis Morissette. Estou tentando me lembrar de que álbum é, quando Anna fala:

– Já ouviu? – Ela acena com o CD Jagged Little Pill, e eu confirmo com a cabeça. – Eu adoro ela. Passei o verão inteiro ouvindo este CD.

Queria poder dizer a Anna que ela ainda pode esperar muito mais músicas de Alanis Morissette, mas fico quieto. Então falo que vou dar uma olhada na agenda dos shows e levá-la a um.

Observo o mapa que ocupa a maior parede do quarto. Eu me aproximo e fico ali parado, contando o número de alfinetes vermelhos que Anna usa para marcar os lugares para onde já viajou. São nove, contando com o mais novo na parte de baixo da península da Baixa Califórnia. Tem cinco a mais do que na primeira vez que estive aqui, quando admirei sua grande vontade de ver o mundo e fiquei feliz de poder proporcionar a ela um pedacinho dele.

Eu me viro e deparo com ela ao meu lado.

– Tome isso. – Anna me entrega uma bolsinha, e dou uma olhada dentro. Minha carteirinha de estudante de Westlake. Um cartão-postal em branco de Ko Tao. O cartão que ela me mandou da Praça Vernazza. Um cotoco de lápis amarelo. Um mosquetão. Um de seus alfinetes. – Você deixou tudo isso na sua escrivaninha na casa de Maggie. Ela achou que eu devia guardar essas coisas para você.

– Obrigado. – Pego o cartão-postal de Vernazza e olho para ela enquanto passo o dedo pela beirada. Anna me observa ler o que está escrito ali, e sinto que seguro a respiração por um instante quando chego à última linha: "onde você estiver neste mundo, é lá que quero estar", e sou tomado pela culpa. Sinto um aperto no peito quando devolvo o cartão à bolsinha e a jogo no chão perto da minha mochila. – Era isso que você queria me mostrar?

Os olhos dela brilham.

– Não. – Anna gira nos calcanhares e vai até o outro lado do quarto. Depois se abaixa e pega alguma coisa embaixo da cama. – Feche os olhos – ordena ela por cima do ombro.

Menos de um minuto depois, eu a sinto atrás de mim. Ela coloca as mãos na minha cintura e me empurra para a frente.

– Continue de olhos fechados. Só mais alguns passos. Tudo bem, pare. – Então eu a sinto ao meu lado. – Pode abrir os olhos.

Meus olhos demoram um pouco para se ajustarem, e não sei direito para onde tenho que olhar. Mas noto que tem alguma coisa em cima da cama e me aproximo.

É uma foto impressa em uma enorme folha de papel grosso. Reconheço imediatamente as rochas altas e os penhascos pontudos.

– É a nossa praia? – pergunto, mas já sei a resposta. É onde a encontrei em La Paz. O mesmo lugar em que cheguei e de onde parti durante todo o verão, onde a surpreendia durante suas corridas matinais. Eu me aproximo mais para enxergar melhor. – É incrível. Como encontrou uma foto do lugar *exato*?

– Não encontrei – retruca ela com as mãos na cintura. – Eu tirei essa foto.

Não entendo nada de fotografia, mas fico impressionado com o que vejo. Consigo ver até as menores fendas na superfície da rocha, e o penhasco está perfeitamente refletido na água embaixo.

– Foi você quem tirou essa foto?

– A Señora Moreno me ajudou. – Lembro que ela me contou que a mãe da família que a hospedou em La Paz também era fotógrafa. – Pensei que você podia pendurar na parede do seu quarto. – Ela não esclarece qual quarto, e decido não perguntar. – Mas espere... olhe só isso – acrescenta ela com o dedo em riste. Anna abre o velcro de uma bolsa de lona preta e tira ali de dentro uma câmera 35mm. Ela desliza o polegar pela parte de trás e por cima dos botões. – Olhe o que ela me deu. Acho que é bem velha, mas não me importo.

Parece mesmo antiga. Eu a observo desenroscar a lente objetiva, soltá-la do corpo e trocá-la por uma mais larga e curta. Depois Anna aproxima a câmera do rosto, e não consigo ver mais nada além de sua boca. Escuto o estalo do obturador e o mecanismo faz um barulho estranho.

Ela joga a alça sobre o ombro, se abaixa de novo perto da cama e pega um grande envelope. Depois se senta no chão e gesticula para eu me juntar a ela. Nós nos sentamos próximos, os quadris se encostando, e ela tira várias fotos do envelope que espalha pelo tapete enquanto me conta a história que tem por trás de cada uma. Há muitas praias, pedras e mirantes, mas meus olhos se fixam no retrato de um homem de pele escura e enrugada. Ele segura um violão e sorri com doçura.

— São muito boas — digo a ela. — *Muito* mesmo.

Noto que ela fica corada.

— Eles têm um quarto escuro no porão, e passei horas lá dentro aprendendo a revelar filme com a Señora Moreno e a filha dela. Foi incrível. — Anna dá de ombros. — Quando contei ao meu pai, ele disse que talvez consiga construir um quarto desses para mim no velho galpão do quintal. — Ela direciona a câmera para o meu rosto. — Enquanto isso não acontece, tenho que contar com a revelação em uma hora. Sorria. Não tenho nenhuma foto sua.

Seguro sua cintura e a puxo ao meu lado no tapete.

— Uma foto minha sem você não faz sentido.

Anna ri, ergue o braço o máximo que consegue e aponta a lente para nós dois. Clique. Ela me dá um beijo na bochecha. Clique. Ela mostra a língua e dou risada. Clique. E então, com uma série de movimentos fluidos, pego a câmera das mãos dela, a coloco no chão e rolo por cima do corpo de Anna, beijando-a como quis fazer a noite toda.

Mas, quanto mais a gente se beija, mais culpa eu sinto. Prometi que não guardaria mais segredos dela.

— Anna — começo —, tenho que contar uma coisa.

As batidas na porta são suaves, mas nos assustamos e pulamos um para cada lado. A porta estava encostada, como a mãe dela exigiu, e não tivemos muito tempo, mas fomos tão rápidos que, quando a sra. Greene espiou pela fresta, já estávamos sentados no tapete e longe o bastante um do outro.

— Seu pai e eu vamos nos deitar — avisa ela.

— Está bem. Boa noite — responde Anna, animada.

A mãe pigarreia.

— Isso significa que Bennett precisa ir embora.

— Mãe... — Anna bufa.

— Não tem problema. — Eu me levanto depressa e vou pegar minha mochila do outro lado do quarto. — Vejo você amanhã — falo para Anna. Passo pela sra. Greene e ando pelo corredor a caminho da porta de casa.

Estou prestes a abrir a maçaneta quando ouço a voz de Anna atrás de mim.

— Espere! — Eu me viro e a vejo no meio da escada. — Aonde você vai? — cochicha ela.

Dou de ombros.

— Não sei. Acho que vou para casa e volto amanhã de manhã.

Ela olha em volta para garantir que o pai não está ouvindo nossa conversa.

— Como assim, vai para casa? Para sua *casa* em São Francisco? — Ela não pergunta se é minha "casa de 2012", mas sei que é o que está pensando.

— É, já está muito tarde para ir até a casa de Maggie. Não se preocupe, volto amanhã. Vou para a casa dela, e depois a gente pode fazer alguma coisa.

Ela balança a cabeça com força.

— Não. Quer dizer, você já está aqui, não pode simplesmente... *ir embora*.

Não quero ir, mas me lembro da expressão da sra. Greene de um minuto atrás e penso que provavelmente é melhor não abusar da sorte essa noite. Posso voltar para São Francisco, para aquela garagem pequena, e dormir no jipe. Ou posso ir para o meu quarto e torcer para meus pais não notarem minha presença. Pensando bem, talvez Anna tenha razão. Pode ser melhor ficar aqui. Sempre posso dormir no sofá da sala dos fundos da livraria.

Anna ergue um dedo.

— Fique aqui. Já volto.

Antes que eu possa dizer mais alguma coisa, ela sobe a escada correndo.

Fico no hall e olho ao redor. À minha esquerda, vejo o banco de alvenaria, e na parede logo acima há cabides vazios enfileirados. Eu me lembro da primeira vez que estive nesta casa. Anna tinha faltado a escola e, quando eu cheguei, ela pegou meu casaco e o pendurou ali. Depois contei meu segredo e mostrei a ela o que eu era capaz de fazer. E a levei a um lugar quente e distante. Estou pensando em fazer a mesma coisa essa noite.

Ouço seus pés descalços descendo a escada. Ela está carregando lençóis.

– Você vai dormir no sofá.

Olho para cima, para o quarto dos pais dela no topo da escada.

– De jeito nenhum. – Uso a ponta dos dedos para esfregar com força minha testa e penso na sugestão dela. – Seus pais realmente disseram que posso dormir no sofá?

Ela concorda com a cabeça.

– Só por essa noite. Eles concordaram que está muito tarde para você voltar andando para casa sozinho. Falei que você ia ligar para Maggie e avisar que vai dormir aqui.

– Não posso ligar para ela – sussurro.

– Eu sei. Mas só precisa fingir.

Ela aponta para a cozinha, e vejo que há um telefone na parede ao lado do micro-ondas. Tapo o rosto com a mão. Teria sido melhor me despedir, sair e puf, aparecer no meu quarto dez minutos atrás, como eu planejava fazer.

– Pode trocar de roupa no banheiro aqui embaixo. – Ela indica uma porta que eu nunca tinha notado. – Vou arrumar o sofá.

5

Afofo o travesseiro e me cubro. Acho que é a décima vez na última hora que me sento, apoio as mãos nos joelhos e olho para as portas de correr de vidro e para o quintal dos Greene. De acordo com o relógio em cima do console é meia-noite e quinze.

A última vez que me sentei no sofá, Anna e eu estávamos abraçados neste mesmo canto, enquanto Justin e Emma namoravam do outro lado. Estávamos assistindo a um filme e comendo pipoca com manteiga que a mãe dela havia preparado.

Coloco os pés no chão e me levanto. Passo pela cozinha e sigo para o corredor, parando ao pé da escada. A porta do quarto dos pais dela está entreaberta. A de Anna, completamente fechada. Estou quase ignorando essa divisão e indo para o quarto dela, mas então me lembro da cara que os pais de Anna fizeram esta noite. É claro que, se me pegarem no quarto da filha deles, posso voltar cinco, dez minutos no tempo e refazer tudo. Mas subir até lá significa quebrar a confiança deles, e já estou no limite aqui.

Não há razão para apressar as coisas. Terei muito tempo para ficar com ela amanhã. Eu me viro, volto para o sofá e me sento pesadamente com a cabeça apoiada nas mãos. Depois de um tempo, me deito outra vez e fecho os olhos, tentando esvaziar a mente. Quando parece que estou prestes a pegar no sono, por fim, tenho a impressão de ouvir a respiração de alguém.

Abro os olhos, levanto a cabeça e vejo uma silhueta na porta.

– Ai, desculpe – murmura Anna. – Eu não queria acordar você.

– Tudo bem... Eu não estava dormindo. – Eu me sento e faço um gesto para que ela se aproxime. Anna se senta sobre a mesinha de centro na minha frente. Vê-la e ouvir sua voz nesta sala me enche de alívio. – O que está fazendo aqui embaixo? E os seus pais?

– Dei uma olhada antes de descer. Estão dormindo. E eles têm sono pesado.

Ela afasta o cabelo do rosto e o enrola em torno de um dedo, segurando um coque sobre a nuca.

– Também não estava conseguindo dormir. Fiquei deitada na cama, olhando para o meu mapa e pensando que, nos últimos meses, ficamos muito longe um do outro, sabe? – Ela solta o cabelo e o coloca atrás das orelhas. – Até que me dei conta de que hoje, finalmente, não havia nada entre nós além de uma porta e uma escada, e achei... – ela pisca depressa – bobo.

Assinto.

– É bobo, com certeza. – Por mais que a sala esteja escura, iluminada apenas pela luz que vem da varanda dos fundos, consigo vê-la corar. – Fico feliz que tenha dado um jeito nisso.

– É, eu também.

– Só que ainda tem mais, sabe?

Ela franze a testa.

– Como assim, "mais"?

Estendo o braço em sua direção e o inclino de forma que meu dedo fique a poucos centímetros do joelho dela.

– Tem essa distância aqui, a de um braço inteiro, que é muita coisa, se você parar para pensar. Tipo, é a distância que as pessoas mantêm no baile do sétimo ano da escola.

Ela ri baixinho.

– Isso nem é bobo. É... inaceitável.

– Não é? E também tem isto – acrescento, levantando uma ponta do cobertor de lã que ela usou para me cobrir mais cedo. – O que acha?

Ela estende a mão e esfrega o tecido com o polegar e o indicador.

– Pois é, é mesmo um problema.

– Foi o que pensei.

Começo a trazer o cobertor de volta, mas, antes que eu possa fazer isso, Anna se muda da mesa de centro para o sofá, diminuindo a distância entre nós.

– O que você queria me falar mais cedo?

Seus olhos escuros se fixam nos meus e sinto um arrepio repentino no fundo da minha alma. Eu não esperava essa conversa agora, e estou tentando decidir como começar, mas ela não me dá tempo.

– Não vai ficar esse ano, não é?

Nego com a cabeça.

Ela gira os ombros para trás e olha para o teto.

– Eu sabia. Sempre que eu falava alguma coisa sobre a escola, você desviava os olhos e mudava de assunto. – Ela percorre a sala com o olhar. Agora é ela que está evitando me encarar.

– Por que não?

– Não posso.

– Não pode ou não quer?

– Não posso. – Eu me sento no sofá para olhá-la de frente. – Escute, passei o verão todo fazendo testes. Até falei para todo mundo que ia passar duas semanas viajando para escalar e saí sozinho. Montei a barraca onde ninguém a encontraria e fui para Londres. Andei por lá, curti a cidade, aliás, senti sua falta o tempo todo, mas, depois de três dias, fui jogado de volta na barraca. Tive uma enxaqueca medonha, mas, como fiz na primeira vez que fui a Evanston, fechei os olhos imediatamente e voltei. Funcionou. Fiquei lá mais um dia, quase dois. Até que fui jogado de volta à barraca outra vez. Eu sempre voltava, e sempre... – Paro de falar, balanço a cabeça, lembrando-me de enxaquecas tão terríveis que me deixavam praticamente incapaz de abrir os olhos por quase uma hora. – Pioravam os efeitos colaterais, em vez de melhorarem. Depois de uma semana, fechei os olhos e nada aconteceu.

– Por que você conseguiu ficar na última vez?

Balanço a cabeça.

– Não sei. Acho que foi porque Brooke não estava onde deveria, sabe? Tipo... estava tudo errado, e quando consertei a situação... – Anna apenas olha para mim e eu a encaro de volta, tentando descobrir no que ela está pensando. – As duas coisas deviam estar relacionadas, porque, quando ela voltou, não consegui mais me transportar para cá. E está parecendo que minha capacidade de ficar aqui também foi alterada.

Anna desvia o olhar novamente, e fica óbvio que ela não sabe o que dizer. Leva as mãos à testa e esfrega com força, como se isso fosse ajudar a absorver a informação, ou algo assim.

– Bom, e daí? É assim que vai ser? – pergunta ela.

– Não sei. É assim que é agora.

Estou me sentindo péssimo. Logo no começo, eu a preparei para o fato de que não podia ficar com ela. Eu nunca deveria ter deixado Anna acreditar que isso poderia mudar. E nunca deveria ter *me* permitido acreditar nisso.

– Mas quero voltar. Quero muito. Acho que não vou poder vir com muita frequência, ou seus pais vão ficar desconfiados, sabe, mas podemos pensar em alguma coisa, fazer um planejamento, sei lá.

Ela não fala nada.

– Se pensar bem, vai perceber que sempre pensamos que seria assim, até antes de Vernazza. Lembra? – Paro um instante antes de dizer o que realmente estou pensando: "Você já tinha concordado em ter o relacionamento a distância mais complicado do mundo."

Ela contorce as mãos enquanto pensa nos prós e contras de tudo que acabei de dizer. Ficaremos juntos, mas não todos os dias, como era antes, e não do jeito que queremos. Não vamos frequentar a mesma escola nem sair com as mesmas pessoas, e, pelo menos, enquanto ainda morarmos na casa dos nossos pais, passaremos a maior parte dos dias separados por dezessete anos. Muita gente acha que a proximidade é garantia de algo. Nós só queremos estar juntos no mesmo lugar.

Os olhos dela estão fixos no tapete.

– Consigo lidar com muita coisa, sabe? Consigo lidar com tudo que tem a ver com você e com o que é capaz de fazer, mas o que aconteceu na última vez... Não posso deixar que aconteça comigo de novo. – Ela ergue a cabeça e olha direto para mim. – Sei que você não *queria* que tivesse sido assim, e entendo que não fez de propósito, mas você estava aqui e de repente não estava mais, e quando voltou, eu...

Ela pega uma mecha de cabelo e enrola no dedo. Estou prestes a falar, quando ela abre a boca e me encara outra vez.

– É o seguinte: quando você foi embora eu meio que... desabei. – Ela joga os ombros para a frente e sua respiração se acelera. – Desabei *completamente* – acrescenta. – E eu não desabo, Bennett, não quero *ser* alguém que desaba e... – Anna respira fundo e envolve a própria cintura com os braços. – Não posso deixar isso se repetir.

Olho para ela e me preparo para o que estou prestes a ouvir. O que ela *deveria* dizer. Anna quer que eu vá embora. Não quer mais que eu volte.

– Preciso pensar sobre isso – conclui.

Não é tão ruim quanto eu esperava, mas ainda assim me surpreende.

– Claro. – Tenho que me esforçar bastante para manter a voz firme. – Claro que precisa.

Ela pressiona os lábios, como se estivesse segurando alguma coisa entre eles, e percebo que está tentando não chorar. Mas eu queria que ela chorasse. Queria que ela desabasse na minha frente, como aconteceu quando fui embora, porque, diferente da última vez, agora estou presente para consolá-la. Posso dizer tudo o que teria dito daquela vez: que vamos ficar bem, que tudo isso é estranho, confuso e injusto para nós dois, mas é especialmente injusto para ela, porque é sempre mais difícil ser a pessoa que é deixada, não a que vai embora. E vou dizer que a amo e que vou fazer tudo para ficar com ela, do jeito que for possível.

– Quando você vai embora?

Engulo em seco.

– Sexta-feira. Prometi para minha mãe que passaria o fim de semana em casa. Brooke vai voltar para a faculdade no domingo. – Considero contar a ela sobre nossos planos de sair com o barco, mas mudo de ideia. – E minhas aulas começam na segunda.

Ela sorri com tristeza para mim.

– As minhas também.

Ficamos em silêncio por um bom tempo. Ela volta para o seu lugar na mesa de centro, e tenho a impressão de que vai me desejar boa noite e subir, mas Anna não se mexe. Percebo que ela está pensando no que fazer em seguida, e sei que eu devia ficar quieto e não dizer nada que possa influenciar sua decisão, mas não consigo me conter.

– Estou aqui agora – falo em voz baixa.

Ela ergue os olhos sob os cílios. Depois sua expressão se suaviza e um sorriso ilumina seu rosto.

– Fico feliz. – Ela segura a ponta do cobertor e mais uma vez o esfrega com o polegar e o indicador. – Ainda temos isso aqui, não é?

Meu coração dispara e dou risada, contente com a mudança de assunto.

– Isso *ainda* está aqui?

Levanto a beirada do cobertor e Anna se deita embaixo dele, ajeitando-se ao meu lado. Seus braços envolvem minha cintura, e ela encaixa uma perna entre as minhas.

– Bem melhor – diz Anna, deslizando as mãos por minhas costas embaixo da camiseta enquanto me beija.

Em questão de minutos, é como se nós dois esquecêssemos as complicações envolvidas nessa loucura que estamos fazendo. O restante da noite não parece nada complicado.

6

Acordo com um ruído fraco de água corrente. Tento levantar a cabeça do travesseiro para dar uma olhada, mas meu movimento é restringido pelo peso da cabeça de Anna, que está apoiada na curva do meu pescoço.

Dou um beijo na sua bochecha.

– Anna – sussurro. – Acorde.

Ela aperta meu ombro com mais força e, sem abrir os olhos, se acomoda em meu peito e suspira, feliz.

O ruído de água para e é quase imediatamente substituído por um tilintar suave. Estou tentando identificar o que é, quando ouço o inconfundível, e extremamente alto, barulho de um moedor de café.

Anna se sobressalta e abre os olhos. Assim que me vê, se espanta. Em seguida levanta a cabeça e dá uma olhada na sala.

– Está tudo bem, a gente só pegou no sono.

– Meu *pai* está lá – cochicha Anna, os olhos vagando entre mim e a cozinha.

— Eu sei. Está tudo bem — repito, achando que ela não me ouviu na primeira vez.

Seus olhos ficam ainda mais arregalados.

— Não tem *nada* bem! Ele não pode ver a gente assim. Ou nunca vai... — Anna se aproxima de mim, quase encostando o rosto no meu. — Estou ferrada.

— Pare com isso... É só falar para ele que estávamos conversando e acabamos pegando no sono.

Tento ver a cena pelo ponto de vista do pai dela. Anna vestiu a camiseta, mas não tenho ideia de onde a minha foi parar.

— Ele nunca vai acreditar nisso.

Começo a responder, mas ela tapa minha boca com a mão.

— Shiu.

O moedor de café para. Ela me encara com os olhos arregalados. "Faça alguma coisa", pede, movendo os lábios em silêncio. "Por favor."

Levo alguns segundos para entender, provavelmente porque ainda estou meio sonolento, e ela fica cochichando comigo na penumbra.

— Tem certeza? — pergunto, também movendo os lábios sem emitir som.

Ela responde com um movimento afirmativo de cabeça, um gesto rápido e apavorado.

Encontro o relógio imediatamente. Passei muito tempo ontem à noite olhando para ele. São pouco mais de seis e meia. Enfio as mãos embaixo do cobertor para procurar as mãos dela e, quando as encontro, aperto-as com força.

Anna já está de olhos fechados.

Chuto o cobertor para o chão e fecho os olhos com força, imaginando o quarto dela. Quando volto a abri-los, estamos na cama de Anna, na mesma posição em que ficamos no sofá:

ela aninhada em meu peito, nós dois de mãos dadas, nossas pernas entrelaçadas. Não quero me mexer, mas tenho que me afastar dela para poder olhar o relógio no criado-mudo. Seis em ponto.

Os minutos passam e continuamos lado a lado, em silêncio e imóveis. Então Anna eleva os joelhos até o peito e começa a abaixá-los aos poucos.

— Entendeu por que tem que me manter por perto? — sussurro, ainda olhando para o teto.

Ela se estica e apoia um braço na testa. Sua cabeça cai para o lado e ela olha para mim.

— Tem muitos outros motivos para manter você por perto.

Eu me deito em cima dela, com cada perna em um lado do seu quadril, nossos rostos quase se tocam.

— E você vai? — Eu a beijo. — Vai me manter por perto?

Ela respira fundo.

— Ainda estou pensando sobre isso.

— Legal. — Dou mais um beijo. — Como você está se sentindo?

Ela torce o nariz.

— Um pouco... revirada. Mas não estou enjoada nem nada assim. — Anna afasta o cabelo do meu rosto, que cai de volta. — E você? E sua cabeça?

— Está tudo bem. Sinto os efeitos colaterais apenas na viagem de volta e quando mudo de fuso horário. E agora só subi a escada. — Olho para o relógio e a beijo de novo. — A menos que você me segure aqui por muito tempo.

Anna vê que horas são.

— É melhor você ir. Já são seis e dez.

Dou um beijo na sua bochecha e pulo da cama. Aceno discretamente para ela, que retribui meu gesto.

— Vejo você lá embaixo — digo, depois fecho os olhos e imagino a sala.

Quando os abro de volta, estou em pé ao lado do sofá, observando os lençóis e cobertores bagunçados que largamos ali. Vejo minha camiseta no chão e a visto. Depois me deito sob o cobertor, onde eu deveria estar.

Vinte minutos mais tarde, o pai de Anna aparece na entrada. Ele vê que já estou acordado e acena para mim. Retribuo seu gesto e me pergunto se, na última vez, ele também deu uma olhada e encontrou outra coisa.

Ouço o barulho de água corrente. Os grãos de café caindo no moedor. O ruído da máquina começa e para. Espero mais alguns minutos, e então vou até a cozinha, onde sou recebido pelo som da cafeteira e por um aroma que deixa minha boca cheia d'água. O pai de Anna está enrolando o fio elétrico do moedor e o guardando no armário, e nesse instante ele me vê pelo canto do olho.

— Bom dia.

Ergo o queixo na direção dele.

— Bom dia, sr. Greene.

Ele se apoia na bancada.

— Dormiu bem? — Ele cruza os braços ao me encarar, e sinto a adrenalina começar a percorrer minhas veias.

Apoio o quadril no outro lado da bancada, na frente dele, torcendo para que eu pareça calmo e nem um pouco culpado. Sustento seu olhar e respondo:

— Muito bem. Obrigado por ter me deixado passar a noite aqui.

Tenho a impressão de que ele olha para mim por um minuto inteiro. Prendo a respiração e tento não me mexer.

Por fim, ele descruza os braços e diz:

– Não foi nada. Fico feliz que a gente tenha ajudado. – Seu tom de voz é simpático, e quando ele se vira de costas, solto o ar sem fazer barulho.

O sr. Greene abre um armário alto e pega duas xícaras.

– Quer café, Bennett?

– Sim, por favor.

Ele pega mais uma xícara.

7

Duas xícaras de café, três copos grandes de água, uma vasilha de cereal e duas horas depois, saio da casa dos Greene e percorro a pé aqueles quatro quarteirões familiares até a casa de Maggie. Meu coração bate acelerado quando chego à varanda, e fica ainda mais rápido quando seguro a aldraba de cabeça de leão.

O suor escorre por minha nuca e minha camiseta está colada no meu corpo. Hoje o tempo pode estar diferente, mas me sinto tão nervoso quanto no dia em que vim para esse mesmo lugar em março passado, dobrando para trás e para a frente as beiradas de um cartão enquanto ela abria a porta.

Eu tinha acabado de voltar da administração do alojamento dos alunos da Northwestern. Não tinha como reconhecer a caligrafia, mas, assim que parei diante do enorme quadro de avisos, um cartão se destacou, as letras escritas com cuidado e firmeza, como se alguém pudesse se importar com sua aparência. Tirei o cartão do quadro e olhei o verso para confirmar o que eu já sabia. Depois segui diretamente para o endereço.

Quando minha avó abriu a porta, me apresentei como um aluno da Northwestern e perguntei se o quarto que ela alugava ainda estava disponível. Ela fez uma expressão reservada, mas assentiu, e quando lhe entreguei dinheiro suficiente para reservar um trimestre, apesar de não ter a intenção de ficar tanto tempo, ela me convidou para tomar um chá e me levou para conhecer meu novo quarto. Mas dois meses depois eu desapareci sem qualquer explicação, deixando para trás um guarda-roupa cheio, um carro esportivo novinho e um milhão de perguntas. Anna teve bastante trabalho em responder por mim.

Ouço as tábuas do assoalho rangendo do outro lado da porta. Maggie espia por entre as cortinas, olha para mim e desaparece de novo. Está tudo em silêncio. Nada de piso rangendo quando ela se afasta nem nada do estalo da fechadura destravando.

Até que finalmente abre a porta. Ela está usando um vestido solto que quase arrasta no chão e, como sempre, uma echarpe colorida no pescoço. Observo seu rosto e depois fixo os olhos nos dela, que têm um tom azul-acinzentado, o mesmo que os da minha mãe. E que os meus. Queria saber se ela está pensando a mesma coisa.

– Oi, Maggie – falo em busca de alguma coisa para fazer, mudo a mochila de um ombro para outro.

– Oi. – Ela me encara por um tempo desconfortavelmente longo. Depois franze o cenho, seus olhos se iluminam, e ela parece ficar feliz por me ver. – Anna falou que você viria esta semana, mas ela não sabia exatamente quando. – Maggie levanta um pouco os ombros e se apoia no batente da porta. – Quer entrar?

Passo pela porta e a sigo até a sala de estar. O sol está entrando pelas janelas panorâmicas que dão para a rua. Deixo minha mochila no chão e me sento no sofá.

É impossível ignorar as imagens à minha volta. Em cada parede e cada superfície da sala de Maggie vejo fotos emolduradas da minha família. Eu ainda bebê no colo da minha mãe. Brooke pequena, com o cabelo escuro e comprido e uma franja reta. Meus pais no dia em que se casaram. Estamos em tudo quanto é canto, decorando a casa da minha avó, embora ela não apareça em nenhuma foto. Posso praticamente ouvir as palavras que minha mãe dizia toda vez que Brooke ou eu perguntávamos sobre ela: "Só viu vocês uma vez." Depois, ela mostrava uma foto de nós três no zoológico. Quando a pressionávamos para mais informações, ela contava que se desentendeu com a mãe e não queria falar sobre o assunto.

Maggie percebe que estou olhando para as fotos, então atravessa a sala para pegar uma moldura prateada.

– Olhe, você vai gostar desta. É nova – diz ela ao me entregar o porta-retratos.

Na foto, Maggie aparece segurando um bebê bem pequeno em um dos braços. Sou eu. Brooke está ao seu lado, segurando a mão livre da minha avó. Olho para ela. Parece feliz. Então percebo as girafas ao fundo.

– Fomos ao zoológico – conta ela.

Eu me dou conta de que é a mesma foto que temos em casa. Ela bate com a unha no vidro do porta-retratos.

– Eu não conhecia o bebê. Você lembra que tem o mesmo nome que ele, não é? – Ela balança a cabeça com incredulidade, como faz sempre que pensa nisso.

Maggie se senta em sua poltrona habitual e inclina o corpo para a frente, como se quisesse me ver mais de perto, e sinto que me afasto, afundando as costas nas almofadas do sofá. Tem alguma coisa estranha.

– Você foi a São Francisco?

Ela ajeita a echarpe nos ombros.

– Foi Anna que me incentivou a ir – revela ela, e fico desanimado com a notícia. – Mas talvez não tenha sido uma boa ideia. Eu e minha filha brigamos enquanto eu estava lá e...

– Ela olha nos meus olhos e dá um sorriso triste. – Digamos que não tenho certeza de quando vou voltar lá.

Respiro fundo e tento não parecer em pânico com o que ela acabou de dizer. Brooke e eu só temos uma foto com nossa avó no zoológico, só *conhecemos* Maggie. Por que Anna a convenceu a ir nos visitar?

– Então. – Ela se recosta na poltrona. – Fiquei sabendo que você saiu correndo da cidade por causa de uma emergência familiar. Está tudo bem?

Assinto, distraído.

– Que bom. Voltou para o início das aulas? – Ela escolhe as palavras com cuidado, e sua referência genérica às "aulas" não passa despercebida. Anna me contou que Maggie havia descoberto que, na verdade, esse tempo todo eu estava estudando em Westlake.

Evito completamente o assunto.

– Preciso voltar a São Francisco – respondo, ignorando de propósito a oportunidade perfeita para contar a verdade. – Mas pretendo voltar. Para fazer uma visita. Isto é, se Anna quiser.

Maggie não diz mais nada, mas também não desvia os olhos de mim. Está esperando, e sei que eu devia contar tudo, porque Anna prometeu a ela que eu faria isso quando voltasse. Olho mais uma vez para a foto e me sinto enjoado. Será que ela faz alguma ideia de quem eu sou?

Respiro fundo e abro a boca para falar:

– É que...

Ao mesmo tempo, ela começa:

– Bom...

Nós dois interrompemos nossas frases.

– Você ia dizer alguma coisa? – pergunta ela.

– Tudo bem, pode falar primeiro.

Fico esperando ela continuar. Para me dizer que encontrou meu caderno vermelho no esconderijo lá em cima e juntou todas as peças. Para me fazer perguntas diretas. Nesse caso, eu não teria escolha e precisaria contar tudo. Vai ser uma confissão apressada e confusa, possivelmente como uma frase enorme e com poucas pausas para respirar, mas as palavras serão ditas e não vou poder retirar o que falei. E minha avó será a quinta pessoa no mundo a saber quem sou e o que posso fazer.

– Eu só ia perguntar se você tem onde ficar, quando vier. Seu quarto continua disponível. Se for do seu interesse.

Respiro fundo e sinto uma decepção inesperada.

– Sim, claro. Seria ótimo – respondo.

– Que bom. Ainda não aluguei o quarto. E é claro que prefiro que fique com... – Ela faz uma pausa. *Fale. Fale "meu neto". Diga que sabe quem eu sou.* Mas, em vez disso, ela conclui: – Com alguém que já conheço.

Ela se levanta, e eu faço o mesmo. Afasto meu cabelo da testa e olho para o chão. *Conte para ela.*

– Maggie...

Ela vira a cabeça.

– Sim?

– Eu... – Mas não consigo. Não consigo falar. Se ela já soubesse a verdade sobre mim, seria diferente. Só que ela não sabe. Acho que não sabe, pelo menos. – Eu não devia estar aqui.

E então ela abre aquele sorriso afetuoso de que me lembro tão bem.

– Mesmo assim, você voltou – retruca ela, segurando meu braço perto do ombro, fazendo um carinho que me acalma.

Talvez esse seja seu jeito de me dar permissão para *não* contar. Ou eu só estou querendo escapar dessa.

– Vou buscar lençóis para a sua cama – avisa ela. – Todas as suas roupas estão em uma caixa no sótão. Pode colocar tudo de volta nos lugares.

Ela está prestes a sair da sala, então, por algum motivo, começo a falar sobre a logística da situação:

– Vou pagar o mesmo valor, é claro. Por mais que eu não vá passar muito tempo aqui.

Ela continua andando, mas ouço nitidamente sua resposta:

– O quarto é seu, Bennett. Venha quando quiser e fique o tempo que precisar. – Depois ela para e se vira. – Você devia decorá-lo um pouco. Pendurar uns pôsteres, alguma coisa assim. Deixar o quarto com a sua cara.

~

Três horas depois, arrumei de novo meu quarto na casa de Maggie e o deixei exatamente como estava quando fui embora. Fazer isso me deixou encharcado de suor, porque tive que carregar caixas do sótão, onde fazia 45 graus, para o quarto, onde fazia quarenta. Como é que ela consegue viver sem ar-condicionado?

Como eu suspeitava, minhas opções de roupa aqui se limitam a camisas de manga comprida de flanela, camisetas de banda e suéteres, alguns mais grossos, outros mais leves. Vasculho minha mochila em busca de uma camiseta limpa e uma cueca, depois atravesso o corredor.

Enquanto eu guardava minhas roupas, acho que Maggie estava arrumando o banheiro pensando em mim. Afinal havia toalhas limpas nos cabides, sabonete novo na pia e a embalagem de xampu e condicionador dois em um numa prateleira ao lado da banheira. Abro a torneira e jogo minhas roupas suadas no chão.

Depois de tomar banho e me vestir, volto para o meu quarto e me abaixo diante do enorme armário de mogno que domina o espaço. Tateio o fundo em busca da fechadura, e lá dentro encontro tudo como deixei na última vez: grandes maços de dinheiro com notas anteriores a 1995 e o caderno vermelho que usei para calcular minhas viagens no último ano. Eu o pego, estalo o elástico que o mantém fechado e o devolvo ao armário.

Os vinte dólares na minha carteira vieram de casa, por isso os guardo no canto oposto do compartimento para não misturar com o restante do dinheiro. Em seguida, conto um maço de notas de quinhentos dólares, guardo-as na carteira e a devolvo ao bolso de trás da minha calça jeans. Deixo as coisas como estavam antes.

Lá embaixo, encontro Maggie em pé na frente da mesinha do hall de entrada, com a bolsa aberta. Ela pega as chaves do carro e enfia vários envelopes na bolsa. Quando ergue a cabeça, me vê.

– Já se acomodou?

– Já, sim. E obrigado pelo xampu e pelas outras coisas.

Ela faz um gesto com a mão, como se não fosse grande coisa.

– Tenho uma consulta médica, mas volto em algumas horas. – Ela balança as chaves, mas depois para. – Ah... Você vai precisar do carro hoje? – E olha para mim confusa. – Tenho usado desde que você foi embora.

Quando entrei na concessionária no último mês de março, paguei em dinheiro pelo jipe Grand Cherokee 95 e já pensei em deixá-lo para Maggie quando chegasse minha hora de ir para casa. Por isso coloquei o carro no nome dela. E também escolhi a cor azul.

– Tudo bem. Eu já esperava que você fizesse isso mesmo.

Ela me olha de um jeito estranho, e tenho certeza de que logo mais vai começar a fazer perguntas que não quero responder.

– Tenho que correr. Vou encontrar Anna na cidade. Pode usar o carro à vontade. Eu aviso se precisar dele.

Saio e fecho a porta.

8

Anna e eu passamos o resto da tarde passeando por Evanston para comprar roupas. O pai de Anna deu dinheiro para ela comprar tênis de corrida novos, e é por aí que começamos. Depois procuramos roupas para mim. Pelo jeito, bermuda xadrez parece estar na moda, mas não consigo me convencer sequer a experimentar uma. Em vez disso, pego uma calça jeans.

Anna escolhe uma camisa e me mostra para ver se acertou o tamanho.

– O que acha?

Nem olho para a camisa. Seguro Anna pelos ombros e a puxo para mim, e ela baixa os olhos e ri quando vê a camisa amassada entre nossos corpos.

– É perfeita – digo, e a beijo ali mesmo, no meio da loja da Gap.

Uma hora e quatro lojas mais tarde, tenho um novo par de All Star e roupas dos anos 1990 em quantidade suficiente para usar pelos próximos meses.

Vamos até a lanchonete e compramos sanduíches enormes para comer no parque. Passamos muito tempo juntos e conversamos sobre tudo, *exceto* sobre o ano escolar que começa em breve. Pergunto a que shows ela quer assistir e a que lugares quer que eu a leve para conhecer. Ela me faz perguntas sobre São Francisco, e conto que passei a maior parte do verão andando de skate pela cidade, subindo paredes de escalada e sentindo saudade dela. Percebo que eu pareço muito patético, mas Anna não deve estar achando isso, porque se aproxima e passa os braços em torno do meu pescoço.

Ela me beija. Quando se afasta, fixo os olhos nos dela.

– O que foi isso?

Ela dá de ombros.

– Eu amo você, só isso.

– Que bom. Também amo você, só isso.

Ela me beija de novo. Depois se levanta, tira a sujeira do short e estende a mão para me ajudar a ficar de pé.

– Está na hora de ouvir um pouco de música.

Justin está ocupado atendendo um cliente, mas acena quando nos vê entrar. Anna acena de volta, depois me conduz por corredores estreitos. Viro a cabeça para os lados quando passamos diante das prateleiras de madeira, tentando dar uma olhada nos CDs.

Estamos quase nos fundos da loja, observando o quiosque Os Melhores Sons do Verão, quando Justin se aproxima da gente.

– Você voltou. Como estava o mundo?

Anna se vira para trás.

– Não sei sobre o mundo, mas o México estava muito, muito legal – diz ela, dando um abraço nele.

Justin fecha os olhos ao retribuir o abraço. Mas deve ter lembrado que eu estava ali vendo tudo, porque, de repente, abre os olhos e me encara. Sorrio quando ele abaixa os braços. Justin dá um passo largo para trás.

— Bem, fico feliz por você estar em casa — diz ele a Anna.
— Também fico feliz por ter voltado.
Ele ergue o queixo na minha direção.
— E aí? — Justin ergue a mão e ameaço bater meu punho no dele, mas percebo que ele está com a mão aberta e corrijo o movimento depressa, trocando o cumprimento. — Quer dizer que você voltou. — Mas seu tom de voz sugere mais uma pergunta do que uma afirmação.
— É. Por enquanto.
Anna me olha de soslaio e muda de assunto.
— O que é isso? — pergunta apontando para o teto.
— É o último álbum do Blind Melon. — Justin balança a cabeça, parecendo desapontado. — Mas não chega aos pés do anterior. Acho que a banda acabou. — Quando ele se vira, Anna olha para mim parecendo confusa, e eu dou de ombros. Nunca ouvi falar dessa banda, então, só posso assumir que Justin está certo.
— Vou dar uma olhada na loja enquanto vocês dois conversam — digo. Fico feliz em deixá-los sozinhos. Esse lugar é fascinante demais para ficar de papo enquanto, em vez disso, posso explorar o que tem nas prateleiras.
Placas feitas à mão penduradas no teto identificam cada seção: R&B, jazz, rock. Ando pela loja, escolhendo alguns CDs para ler atrás a relação das músicas, o que só faz crescer a lista de shows a que quero assistir. Quero ver mais coisas. Estou a caminho da seção de Ska, quando noto em um canto uma prateleira de pôsteres.
O que acaba sendo ainda mais interessante. Passo bastante tempo ali, olhando cada pôster, especulando quem são vários daqueles músicos, e rindo da impressionante quantidade de boy bands que havia nos anos 1990.

Deslizo mais algumas molduras pelo suporte e, então, paro em um.

— Esse aí — diz Anna atrás de mim. Eu nem sabia que ela estava ali. Anna fica na minha frente e aponta para Billy Corgan. — Por favor, me diga que você conhece esse cara.

— Conheço.

Assinto, olhando para a foto do Smashing Pumpkins, admirando a quantidade absurda de delineador que os integrantes da banda usam.

— Já viu um show deles?

Olho em volta para ter certeza de que Justin não está por perto.

— Três vezes. — Apoio o queixo no ombro dela e cochicho em seu ouvido: — Miami em 1997, Dublin em 2000 e Sydney em 2010.

Ela inclina a cabeça na minha direção. Pela expressão que ela faz, percebo que fica surpresa por eu ter compartilhado uma informação do futuro.

— Legal — responde Anna, sorrindo de satisfação. — Eles são de Chicago.

— Eu sei.

Em seguida conto a ela o que Maggie falou sobre eu decorar meu quarto, deixá-lo com a minha cara.

— Eu poderia pendurar este aqui perto da janela. Ou talvez na parede próximo do armário. — Dou de ombros. — Claro que é meio inútil colocar pôsteres na parede se não vou voltar mais aqui.

Ela morde o lábio e olha fixo para mim. Depois pega um pôster enrolado dentro de uma lata e o coloca na minha mão. Quando o pego, ela se vira e sai andando. Estou sorrindo quando pego mais um pôster.

No fim da tarde de sexta-feira, meu quarto na casa de Maggie começa a ficar com cara de pronto. A foto que Anna tirou da nossa praia em La Paz foi colocada numa moldura nova e pendurada em cima da minha cama. O armário está cheio de roupas novas para o restante do verão e o outono, sendo que ali já tinha roupa quente suficiente para me manter aquecido por todo o inverno. Dou uma olhada nos cartões-postais, que antes ficavam escondidos na primeira gaveta embutida na parede, mas que agora estavam em cima da mesa. Depois penduro um calendário de parede do ano de 1995 ali também, para que eu não me esqueça da *data* em que estou no momento.

Penduramos o pôster do Weezer à esquerda da janela, e estamos quase acabando de colocar o do Smashing Pumpkins do lado direito.

– Um pouco mais para baixo – diz Anna. – Aí. Está bom.

– Ficou bom? – Ergo uma sobrancelha e olho para ela por cima do ombro. Quando ela assente, prendo a fita adesiva nos cantos e dou alguns passos para trás querendo conferir o resultado. – Está melhor? – pergunto.

Ela se senta pesadamente na beira da minha cama e cruza as pernas em cima do colchão. Inclinada para trás, apoiando-se nas mãos, ela observa com atenção o quarto.

– Está começando a ficar com a sua cara – diz.

Também dou uma olhada ao redor. Ela tem razão: está mais parecido comigo, mas essa não era minha única intenção. Eu queria que o quarto parecesse mais permanente, não só por mim, como também por ela.

– O que você vai fazer se eu disser que não quero que você continue voltando? – pergunta ela.

Eu me aproximo de Anna, balançando a cabeça.

– Não sei. Acho que vou aparecer depois de algumas semanas. E me despedir de você e Maggie. Levar todas essas coisas para o sótão o mais devagar possível, torcendo o tempo todo que você mude de ideia.

– Você quer mesmo continuar voltando para cá?

Apoio as mãos na cama, uma de cada lado do quadril de Anna, e me debruço sobre ela.

– Já falei isso para você. Vou continuar voltando até você enjoar de mim. – O lábio inferior dela treme, como se estivesse contendo um sorriso. – Mas sei lá... Alguma coisa me diz que você ainda não enjoou de mim.

Ela me encara, mas fica bastante tempo em silêncio.

– Não – responde ela finalmente. – Ainda não enjoei de você.

Dou um beijo suave em sua boca.

– Que bom – sussurro.

– Então – continua ela sem interromper o contato visual –, como vai ser exatamente? Como você vai voltar para me ver sem... ficar?

– Estarei aqui sempre que tiver alguma coisa importante para você. Corridas, bailes, festas, o que for. Vamos planejar tudo. Você nunca vai se surpreender. – Ela faz um biquinho. – Bem, não de um jeito ruim, quer dizer. – Isso provoca um esboço de sorriso nela, mas logo em seguida fica séria novamente.

– Vou saber quando você for embora?

– Sempre.

– E quando vai voltar?

– Sempre – repito, com mais ênfase dessa vez. – Prometo.

– Como pode ter tanta certeza de que não vai ser jogado de volta?

Penso no que ela disse outra noite. Em como ficou mal depois que fui embora.

– Nunca vou ficar mais do que apenas alguns dias. E estarei no controle o tempo todo. Se alguma vez sentir que estou perdendo o controle, aviso você imediatamente.

Ela umedece os lábios com a língua, enquanto fica considerando o que acabo de dizer. Acho que está prestes a responder, mas, em vez disso, passa a mão no meu braço e sobe até a nuca.

– Tudo bem.

– Tudo bem?

Ela assente, e sinto que abro um sorriso.

– Sim – confirma Anna, enganchando um dedo no passante da minha calça e jogando o corpo para trás, me puxando junto. Subo na cama e me acomodo ao seu lado. – Mas tenho uma condição.

Eu a beijo.

– Sou toda ouvidos.

– Você precisa contar quem você é para Maggie.

Eu me afasto dela. Meu primeiro impulso é negar com a cabeça, mas, quando vejo sua expressão, acho melhor me controlar. Mordo a língua e deixo Anna concluir seu raciocínio:

– Assim você poderia ir e vir sem ter que esconder nada. Aliás, não acha que ela merece saber? Além disso, e sei que é totalmente egoísta, mas da última vez que você foi embora Maggie foi a única pessoa com quem eu realmente podia conversar. E você está indo embora de novo. E depois vai de novo. E quando isso acontecer, seria legal ter com quem falar sobre você. Seria bom ter pelo menos uma pessoa de quem não preciso guardar seu segredo.

Passo a mão no meu cabelo enquanto penso sobre o pedido dela. Cheguei a me sentir pronto para contar tudo a Maggie uma noite dessas só porque achei que ela já soubesse quem eu era. Achei que não tinha escolha. Mas ela parece contente com as coisas do jeito que estão. Com certeza eu estou.

Decido ganhar tempo.

– Tenho que contar a ela antes de ir embora hoje à noite?

Ela nega com a cabeça, e eu suspiro aliviado.

– Só... Uma hora dessas...

Uma hora dessas. Começo a pensar em todos os jeitos de dizer a Maggie quem sou, e toda vez sinto meu estômago embrulhar. Mas Anna me faz esquecer tudo quando se aproxima e me beija com intensidade, passando as mãos pelo meu corpo, balançando o cabelo, me lembrando de todos os motivos pelos quais estou aqui, das razões que me fazem voltar sempre e do fato de que eu faria qualquer coisa para deixá-la feliz.

Em seguida, Anna se afasta, sorri e diz:

– O aniversário de dezoito anos de Emma é daqui a três semanas e os pais dela vão dar uma festa. Vai ser muito constrangedor.

– Estarei lá, então.

– Tenho algumas provas de corrida que você podia ver. E um encontro de ex-alunos do colégio em outubro. Espere, a gente tem que anotar tudo isso. – Ela se levanta da cama e volta com uma caneta e um calendário, e nós passamos os quinze minutos seguintes montando nosso cronograma.

Festa do colégio. Finais do Estadual de Corrida. Dia de Ação de Graças. Natal. Temos planos de nos encontrar a cada duas ou três semanas, mas ainda não é suficiente. Não sei bem como vou fazer, mas pretendo passar mais tempo com ela sem deixar meus pais desconfiados e nem correr o risco de ser jogado de volta.

Anna fecha o calendário e o deixa cair no chão.

– Quando você vai embora? – pergunta ela.

– Daqui a pouco – respondo enquanto brinco com os cachos do seu cabelo. – Maggie vai chegar em casa daqui a algumas horas. Eu devia ir antes que ela volte ou vou ter que inventar alguma desculpa bem elaborada como uma corrida de táxi até o aeroporto, ou algo assim.

Ela estica o braço e afasta meu cabelo da testa.

– Quero estar aqui quando você for embora.

Não tenho ideia de como isso vai facilitar as coisas, mas ela parece determinada.

– Tem certeza? – pergunto.

Anna assente e diz:

– Absoluta. Na verdade, se importa se eu ficar mais um pouco... depois? – Ela franze o nariz. – Ou é esquisito?

Sorrio ao imaginar Anna e Maggie na cozinha, conversando e bebendo chá.

– Fique o tempo que quiser. Maggie vai gostar da companhia. Pode vir aqui até quando eu não estiver.

Ela revira os olhos antes de cobrir o rosto com a mão.

– Fiz isso na última vez que você foi embora. Passei horas aqui choramingando. – Ela olha para mim e acrescenta: – Até vesti seu casaco.

E depois esconde o rosto de novo. Anna suspira e balança a cabeça, como se não acreditasse que estava admitindo isso para mim. Mas gosto de imaginá-la usando meu casaco. Gosto de pensar que este quarto pode nos ajudar a sentir alguma conexão com o outro, mesmo quando estivermos separados. Afasto sua mão do rosto e entrelaço os dedos nos dela.

Antes que eu possa dizer alguma coisa, Anna muda de assunto:

– Você devia deixar um bilhete para Maggie antes de ir.

– Boa ideia. – Eu me ajoelho e seguro as mãos dela acima da cabeça. Beijo seu pescoço, e ela se contorce. – Já volto. Não saia daí.

Lá embaixo, na mesinha estreita no hall de entrada, vejo imediatamente os Post-it. Escrevo um bilhete avisando a Maggie que voltarei em três semanas, e colo a folhinha de papel na prateleira ao lado do cesto onde ela sempre deixa as chaves.

Em seguida, olho para o bilhete. Imagino Anna sentada no meu quarto depois que eu tiver ido embora, sozinha, desejando que eu tivesse ficado. E me imagino fazendo a mesma coisa em um quarto diferente a três mil quilômetros e dezessete anos de distância. Não quero ir embora. Mas estou aqui agora, pelo menos.

Subo a escada correndo e abro a porta.

E Anna está exatamente onde a deixei.

Agosto de 2012

9

são francisco, califórnia

Fecho os olhos com força e afasto a testa do volante. Meu pescoço não se sustenta, então eu me reclino no banco, segurando um lado da cabeça enquanto tento entender onde estou. Uma luz fraca entra pelas frestas de cada lado do portão da garagem, e me esforço para dar uma olhada no relógio no painel: 18h03.

Abro a caixa de suprimentos no banco do carona, tateando às cegas em busca das garrafas d'água. Bebo uma num gole só e em seguida pego a outra. Meus olhos ainda estão semicerrados quando tiro a tampa do Doubleshot da Starbucks. Fecho totalmente os olhos quando inclino a cabeça para trás, deixando o café descer pela minha garganta. Todo o meu corpo ainda treme e o suor pinga do meu rosto, apesar de eu estar morrendo de frio.

Demora pelo menos uns vinte minutos para o latejar se tornar um pulsar mais contido, e, quando isso acontece, abro o porta-luvas do carro e pego meu celular. Há duas chamadas perdidas da minha mãe na quarta à noite e quatro mensagens de texto de Brooke nos últimos dois dias. Abro as mensagens primeiro e leio em ordem:

> Credo. Ficou quieto demais sem você aqui. Tá se divertindo?

> Vou ver um show no Bottom at the Hill hoje à noite. Ao vivo. Como a pessoa normal que sou. Chaaato...

> Tô preocupada com você. Responda quando voltar, ok?

> Nada de me zoar e me chamar de "mãe" por causa da última mensagem, por favor. Tô com saudade.

Semicerro os olhos para a tela, aperto responder e digito:

> Sem zoação. Já voltei. Vejo vc em breve.

Minha boca continua seca e sinto meus braços e pernas fracos, por isso pego outra garrafa d'água e me reclino no banco, olhando ao redor da garagem. No e-mail, o proprietário dissera que era "um pouco pequena", mas não passara a ideia de quanto. Quando abri a porta ao chegar, fiquei um tempão parado tentando entender como meu jipe ia caber ali.

Como eu havia previsto, foi muito difícil. Mas fechei os retrovisores, dei ré bem devagar e apertei o botão do controle da porta automática, torcendo para que desse certo. Fiquei um pouco surpreso quando a porta se fechou. Aperto o mesmo botão de novo e a porta se abre, rangendo e tremendo até parar acima da minha cabeça.

Deixo o jipe ligado e saio do carro. Não tem muita coisa ali além de latas de lixo e ferramentas de jardinagem enferrujadas. Pego uma garrafa d'água e jogo a mochila sobre um ombro, depois ando até onde há velhos vasos de flor empilhados e pego um punhado de terra, jogo um pouco de água e esfrego a lama nos sulcos dos mosquetões brilhantes pendurados nas alças da minha mochila.

Mas o esforço para aprimorar meu disfarce acaba sendo desnecessário. Quando chego em casa, encontro um bilhete da minha mãe em cima da bancada avisando que Brooke saiu com alguém, meu pai está em um jantar de negócios e ela foi ao cinema com as amigas. Que bela noite em família.

Preparo alguma coisa para comer e me jogo no sofá. Passo o resto da noite trocando de canal na TV, observando o espaço vazio ao meu lado e tentando imaginar como Anna e eu vamos lidar com isso. Ela devia estar aqui agora. Ou eu devia estar lá. Mas não devíamos estar *desse jeito*.

Acho que acabei pegando no sono, porque, quando volto a abrir os olhos, a sala está imersa na escuridão, a TV está desligada e tem um cobertor em cima de mim. Vou para o meu quarto e me jogo na cama com as mesmas roupas que vestia quando saí de Evanston.

⁓

As vozes que vêm da televisão na cozinha são baixas, mas dá para escutar. Quando entro ali, encontro meu pai apoiando-se na bancada, comendo um iogurte e assistindo ao telejornal. Ele olha para mim.

– Oi. Bem-vindo de volta em casa. Como foi a viagem?

Fico feliz por ele ter formulado a pergunta desse jeito, porque assim não preciso mentir.

– A viagem foi ótima. Muito divertida.

Meu pai tira os óculos e limpa as lentes na barra da camisa. Depois os coloca de volta e olha para mim sobre a armação.

— Deve ter feito frio à noite, não? — Demoro alguns segundos para pensar no jeito adequado de responder. Não fez nem um pouco de frio nas noites na casa de Maggie.

— Não, fez calor à noite — digo. Calor demais, na verdade.

Meu pai termina de tomar o iogurte e se serve de suco de laranja. Começo a comer meu cereal, fazendo um barulho bem alto por causa da crocância, mas as únicas vozes na cozinha vêm da televisão. Meu pai olha para mim algumas vezes, como se tentasse pensar em algo para preencher o silêncio desconfortável. Mas então algo na tela chama a sua atenção, e ele desiste.

Ele pega o controle e aumenta o volume, virando-se de frente para o aparelho.

— As manchetes desta manhã — anuncia a apresentadora.

Um gráfico vermelho e azul, grande e ameaçador para provocar o efeito desejado, desliza da lateral para o centro da tela e diz TRAGÉDIA EM TENDERLOIN, antes de encolher e ser deslocado para a parte inferior, onde não interfere na imagem de um prédio em chamas com o céu do amanhecer ao fundo.

Um incêndio em um apartamento no bairro de Tenderloin matou duas crianças nas primeiras horas desta manhã. Rebecca Walker, de cinco anos, e seu irmão, Robert, de três, dormiam quando o fogo começou no quarto que dividiam no terceiro andar de um prédio na Ellis Street. Os pais foram levados depressa ao hospital com sintomas de inalação de fumaça. Os bombeiros não conseguiram resgatar a tempo as duas crianças.

Encho a boca de cereal e vou até a bancada pegar uma xícara de café, enquanto a apresentadora passa a palavra para a repórter que está no local. Não estou prestando muita atenção, mas entendo o que aconteceu. Os pais não conseguiram pegar as crianças, não havia detector de fumaça, e uma investigação será aberta para determinar a causa do incêndio. Dou uma olhada para a televisão quando o vizinho de baixo conta que ouviu gritos e ligou para a emergência. Depois de mostrar mais uma imagem dramática do prédio em chamas, eles voltam ao estúdio e a apresentadora encerra a matéria, passando em seguida para a próxima notícia que conta sobre a remoção de dois carros que bateram na Bay Bridge.

– Que coisa horrível – comenta meu pai, olhando fixo para a tela. Tenho quase certeza de que ele está se referindo à notícia anterior sobre o incêndio, e não à pequena colisão entre os carros. – Pobres pais. Devem estar se sentindo tão culpados!

Ele joga a cabeça para trás e bebe todo o suco, depois coloca o copo na pia. Ele não vai olhar para mim, mas isso não é necessário. Consigo sentir. O espaço à nossa volta já está cheio de todas as coisas que ele está morrendo de vontade de dizer.

Até pouco tempo atrás, eu fugia de qualquer lugar onde houvesse notícias e meu pai juntos. Aprendi minha lição. Se acontecia alguma tragédia e eu ficava em silêncio, ele me olhava com desprezo e dizia algo como: "Isso não *abala* você?" Por outro lado, se eu fizesse algum comentário que expressasse qualquer pesar pela situação, ele pegava papel e caneta e começava a relacionar todas as formas pelas quais eu poderia impedir o acidente de avião/carro/tiroteio/esfaqueamento/ explosão/ataque terrorista etc. De qualquer maneira, minha resposta para ele seria sempre a mesma. Eu não mudo as coisas. Não cabe a mim mudá-las só porque posso. E, sim, é claro que isso me abala. O tempo todo. Eu tenho coração.

Perder minha irmã numa década passada havia gerado muitas complicações, mas, como descobri depois, também trouxe alguns benefícios. Conhecer Anna foi um. Não ter mais essas conversas angustiantes com meu pai foi outro.

Brooke quase derruba meu café quando me abraça.

– Você voltou para casa! – Depois de me dar um abraço rápido, ela corre até o meu pai e o beija na bochecha. Então para de repente olhando para cada um de nós, de um para o outro. – Ih... – diz, balançando os dedos. – Que tensão... – Brooke assume seu papel de sempre, usando o humor para recuperar a paz em nossa família um pouco disfuncional. Ela bate com o dorso da mão no braço do meu pai. – E aí, o que foi que ele fez dessa vez? – E olha para mim e me dá uma piscadela.

– Nada – responde meu pai. – Não fez nada.

Percebo o duplo sentido da frase.

Ele limpa os óculos de novo, dessa vez com um pano de prato, e fica o tempo todo olhando pela janela.

– Hoje vai fazer um dia lindo. – Sua voz sai mais aguda que de costume e seu tom entusiasmado parece forçado. – Vamos levar o barco para a água? – Então olha para o relógio de pulso. – Quero sair em meia hora. Conseguem ficar prontos?

Brooke e eu assentimos.

– Ótimo. Vou ver se sua mãe precisa de ajuda.

Assim que ele se afasta, encaro Brooke.

– Dia da família – falo com frieza. – Claro...

Ela ergue uma sobrancelha para mim.

– Pare. Não é tão ruim, sabia?

– Para você é fácil. Não é *você* a grande fonte de decepção para um e de preocupação para outro.

– Nem você, mas tanto faz... – Ela se senta na bancada e aponta para a xícara de café metade vazia na minha mão. – Rápido, a gente só tem alguns minutos. Pegue mais café para você, sirva uma xícara para mim também e me conte tudo.

É o que eu faço. Em voz baixa, conto depressa sobre Maggie e explico por que tem uma foto de nós três no zoológico. Brooke arregala os olhos e me pede mais detalhes sobre os assuntos que tento resumir, como o fim do namoro de Emma e Justin e como os Greene me deixaram dormir no sofá na casa deles na noite passada. Ela beberica seu café ouvindo cada palavra com atenção, e depois que dou os detalhes de praticamente tudo o que aconteceu durante a viagem, balanço a cabeça e digo a ela que Anna decidiu, mais uma vez, e por razões que, para ser sincero, nem consigo imaginar, que prefere enfrentar as esquisitices do nosso relacionamento bizarro a me mandar ficar na minha. Conto à minha irmã como foi difícil ir embora, e a cada palavra que digo me sinto mais aliviado por ter uma pessoa aqui que me entende. Pensar nisso me faz lembrar que Anna também queria ter uma confidente. Eu não devia ter saído de lá sem ter atendido ao seu pedido.

Meus pais entram na cozinha com bolsas nos ombros e carregando jaquetas sobre os braços. Meu pai segue direto para a garagem, mas minha mãe para, me dá um beijo na bochecha e diz que está feliz por eu estar em casa. Depois me pede para levar o *cooler* até o carro.

Quando me estico para pegá-lo, Brooke se aproxima e me cutuca com o cotovelo.

– Também estou feliz por você estar em casa – confessa ela.

É estranho mentir para Brooke, mas é o que faço ao dizer:

– Também estou.

10

As pessoas continuam passando, mas, até o momento, ninguém parece ter notado que estou ali sentado sozinho no jipe, olhando fixo para a porta que leva ao meu armário. Faz trinta segundos que o sinal tocou, mas não consigo sair do lugar.

Seria muito fácil fechar os olhos agora, desaparecer deste carro e abri-los em um canto isolado da Westlake Academy. Eu iria diretamente à secretaria e diria à sra. Dawson que os planos da minha família mudaram, que voltei à cidade para cursar o último ano do colégio e, se possível, eu gostaria de dar uma olhada no horário das aulas. Depois eu andaria pelo corredor em busca de Anna. Almoçaríamos com Emma e Danielle, como sempre fizemos. Naquela noite, quando estivéssemos deitados no chão do quarto dela estudando juntos, eu a surpreenderia segurando suas mãos e levando-a para um lugar tranquilo longe dali, como uma praia em Bora-Bora, por exemplo.

Ouço o último sinal. Pego minha mochila no chão, jogo-a sobre um ombro e bato a porta do jipe ao sair. Enquanto atravesso o estacionamento dos alunos, olho para o jeans e a camiseta que estou usando. Nunca achei que sentiria saudade do uniforme da Westlake.

Não encontro ninguém enquanto subo a escada que leva ao meu armário no terceiro andar. Quando o abro, o estalo do trinco ecoa pelo corredor vazio. Lá dentro há apenas garrafas d'água vazias, algumas embalagens de barras de granola e vários papéis soltos que alguém deve ter enfiado pelas frestas enquanto eu estava fora. Essas coisas representam tudo o que perdi na primavera passada: uma cédula para a votação do rei e da rainha do baile de fim de ano, um formulário de inscrição para a Olimpíada anual dos formandos e um panfleto da primavera musical. Coloco tudo de volta no armário e fecho a porta.

Imprimi meu horário de aulas essa manhã, mas mal dei uma olhada antes de guardar a folha dobrada no bolso da frente da minha calça jeans. Não faço a menor ideia de onde eu deveria estar agora, por isso pego o papel no bolso para descobrir. Primeira aula: turma avançada de Civilizações do Mundo com a sra. McGibney. Prédio C, o mais afastado do meu armário, do outro lado da quadra. Confiro a hora no celular. Já estou cinco minutos atrasado.

Levo mais cinco minutos para chegar à porta da sala de aula, e quando a abro, vários rostos que não pensei em ver durante meses se voltam para mim. Dou alguns passos hesitantes para dentro da sala e, quando olho em volta outra vez, noto Cameron sentado na última fileira. Ele ergue a mão e acena para mim.

— Você deve ser o aluno que faltava. — A sra. McGibney não ergue os olhos nem para de escrever no quadro branco enquanto fala comigo. — Você é o Cooper? — pergunta, mas continua falando, sem esperar minha resposta: — Eu estava justamente falando sobre as regras desta turma. A primeira delas é que meus alunos devem estar sentados nos lugares quando o sinal tocar.

— Desculpe — resmungo baixinho.

— Há a tolerância de um atraso, e você acabou de usar a sua. — Ela ainda não desviou os olhos do quadro. Não faço ideia de como ela consegue falar comigo e escrever ao mesmo tempo, e fico um pouco impressionado. Ela já escreveu "Primeiras Civilizações" e começou a listar alguns itens logo abaixo do título: "agricultura", "cidades importantes", "sistemas de escrita". — Você vai se sentar e se juntar a nós, Cooper, ou prefere passar o resto da minha aula em pé na porta? — Ela acrescenta mais um item à lista, "estados formais", enquanto fala.

O único lugar vazio fica na primeira fileira, bem em frente à mesa dela. Sinto que todo mundo me observa atravessar a sala. Sigo arrastando os pés e me acomodo. Tentando não me mover rápido nem depressa demais, nem fazer muito barulho, abro o zíper da minha mochila, pego o caderno e um lápis.

Um lápis. Eu o giro entre os dedos enquanto imagino Anna unindo os cachos no alto da cabeça e usando meu lápis para prendê-los.

— Oi. — A voz interrompe meus pensamentos, e olho à esquerda.

Megan Jenks está se debruçando sobre a carteira, escrevendo no caderno e olhando para mim por trás dos seus cabelos loiros.

— Oi — respondo em voz baixa.

Ela sorri antes de voltar às suas anotações. Também retomo as minhas, copiando loucamente as palavras do quadro branco para o caderno, como se esse exercício bastasse para dar às palavras algum significado. McGibney faz uma pergunta, mas só escuto parte. Não que isso importe, afinal nem faço ideia de como responder.

Megan levanta a mão ao meu lado.

— Srta. Jenks — diz a sra. McGibney, apontando para a menina.

— A Revolução Neolítica.

— Isso. Muito bem.

A professora volta para o quadro e escreve alguma coisa embaixo da palavra "agricultura", enquanto Megan olha para mim e dá um breve sorriso. Assinto para ela, depois volto minha atenção para o caderno e escrevo "Revolução Neolítica". É o primeiro dia de aula, e já estou me perguntando se deixei de ler algum texto complementar, ou alguma coisa assim, porque não faço a menor ideia do que eles estão falando.

O dia passa dolorosamente devagar e me arrasto pelas aulas de estatística, espanhol e física até chegar a hora do almoço. Converso com as pessoas na fila do refeitório. Quando me perguntam como estou, digo que está tudo bem. Quando querem saber por onde andei, dou uma das várias respostas que tenho. Viajando. Conhecendo o mundo. E prefiro não falar sobre isso.

Tudo aconteceu depressa demais na primavera passada. Quando perdi Brooke em 1994, minha mãe insistiu para que eu ficasse o mais perto possível dela e foi minha ideia permanecer na casa da minha avó na Evanston de 1995. Não era Chicago de 1994, mas era perto o bastante. Contrariando o bom senso, deixei minha mãe responsável por justificar minha ausência no colégio aqui.

Ela entrou em pânico. Primeiro disse que eu "estava fora resolvendo algumas coisas". Mas, depois de duas semanas, não teve escolha a não ser dar mais detalhes da história, e, de repente, eu estava "resolvendo coisas" em um centro de tratamento para adolescentes perturbados na costa leste. Ninguém sabia quando eu voltaria para casa. A decisão cabia aos médicos.

Pelo menos essa história não chegou aos meus amigos, que parecem acreditar na minha versão: passei por um período de rebeldia e fui fazer um mochilão pela Europa.

Pego um sanduíche e uma garrafa d'água, sigo para o refeitório e, na mesma hora, noto os caras do outro lado das portas de vidro. Estão sentados no deque do lado de fora, na mesa comprida de onde dá para ver a quadra.

Quando chego, Adam vai para o lado e eu me sento perto dele. Ele está com a boca cheia de comida, mas, quando acaba de mastigar, de engolir tudo e beber um gole de água, olha para mim como se eu fosse um aluno novo ou algo parecido.

– Ei. Quase esqueci que você tinha voltado.

Olho para ele como se tivesse ficado ofendido.

– Obrigado... Também senti saudade de você.

Cameron havia passado o verão inteiro falando sem parar sobre sua nova namorada, mas, como mal o encontrei fora do parque, eu ainda não a conhecia. Por isso ela está me olhando cheia de curiosidade, mas ele parece interessado demais no seu prato de massa para perceber isso.

Estendo a mão por cima da mesa.

– Oi. Acho que não nos conhecemos. Meu nome é Bennett.

Ela leva a mão ao peito e diz:

– Sophie.

Antes que possa estender a mão para mim, Cameron ergue a cabeça e tenta sorrir, apesar de estar com a boca cheia de macarrão e molho. Ele aponta para ela e para mim e depois ergue o polegar.

Outra bandeja desliza pela mesa, e Sam dá um tapa no meu ombro ao se sentar.

– E aí? Como está sendo seu primeiro dia?

Ele parece diferente. Faz só alguns dias desde que o vi pela última vez, mas seu cabelo está mais curto do que nunca, e ele não fez a barba há alguns dias. Parece mais velho ou algo assim.

Dou de ombros e respondo:

– Bom, acho. – Olho ao redor da escola. – Só... diferente.

Sempre achei as paredes de vidro e as cercas de metal interessantes, mas hoje isso serve apenas para me lembrar de que tudo neste lugar e em sua arquitetura moderna tem um contraste gritante com o visual refinado da Westlake Academy. Não consigo imaginar o que Anna acharia desses prédios. Tenho quase certeza de que ela nem conseguiria entender os painéis solares ao lado do telhado verde em cima do estúdio de arte.

– Qual aula vocês têm depois do almoço? – pergunta Sam, dando uma mordida no hambúrguer.

Jogo o corpo para trás e enfio a mão no bolso da calça para pegar meu horário. Desdobro a folha e procuro a quinta aula.

– Inglês. Com Wilson.

Sam limpa a boca com o dorso da mão e diz:

– Ei, eu também. Legal. – Assim que ele diz isso, alguém sufoca um gritinho de espanto e nós dois nos viramos para trás. – Oi, Linds – diz Sam, escorregando pelo banco para abrir espaço entre nós.

— O *que* foi que fez com seu cabelo? — Lindsey põe sua bandeja em cima da mesa e olha espantada para a cabeça quase careca de Sam. Ela estende a mão como se fosse tocar, mas muda de ideia e afasta o braço.

— Cortei.

— Com o quê?

Sam ri e esfrega a mão na cabeça.

— Estou gostando. É fresco. Olhe só. — E se inclina na direção dela. — Toque.

— Não. — Ela bate no ombro de Sam com as costas da mão, mas ri com ele. Depois segura seu rosto entre as mãos e beija sua testa. — Vi você ontem. Não podia ter me avisado? — Lindsey balança a cabeça ao se sentar no banco.

Ele dá de ombros.

— Foi impulsivo.

Ela me encara. Resisto à vontade de rir. E de tocar meu cabelo.

— Viu, Coop? Foi esse tipo de coisa que aconteceu ano passado quando você não estava por perto para manter seu amigo na linha. Onde você estava ontem, quando ele quase raspou a cabeça?

Ergo as palmas das mãos espalmadas.

— Não era meu plantão de babá.

Lindsey revira os olhos e bebe um grande gole de refrigerante pelo canudo. Ela ainda está balançando a cabeça enquanto começa a comer a massa.

Sam passa a mão na própria cabeça e sorri.

— Eu gosto.

Lindsey e Sam estão juntos desde o início do penúltimo ano. Ela é quase três centímetros mais alta que qualquer um de nós, inclusive Sam, e domina a quadra de vôlei. Sempre fomos amigos dela, mas, em algum momento do segundo ano, Lindsey começou a almoçar na nossa mesa. Nem me lembro de ter achado isso estranho. Ela simplesmente se sentou com a gente.

Acho que tinha brigado com as amigas. Uma vez perguntei a ela sobre isso, e Linds admitiu que, com exceção das companheiras de time, não tinha muitas amigas. *Gosto de saber qual é a das pessoas*, lembro que ela disse. *Nada dessa coisa de hoje somos amigos, amanhã... puf.* Ela uniu os dedos e os separou como se representassem uma explosão. *Com os meninos é muito mais fácil.* Depois fez uma pausa longa. *É um elogio, aliás. Talvez a gente seja mais complicado do que você imagina*, respondi, sério. *E se na verdade gostamos de você, só não sabemos como lhe falar isso?*

Ela olhou nos meus olhos.

Vocês gostam de mim, Coop?

Não consegui conter o sorriso.

Gostamos, sim.

Ela deu de ombros.

Viu?

Meses depois, nos reunimos na praia. Sam estava do lado da fogueira contando uma de suas histórias de *lembra aquela vez*, fazendo caretas animadas e gestos exagerados, quando Lindsey se enganchou no meu braço e apoiou o queixo no meu ombro.

— Acho que gosto dele — admitiu ela.

Olhei para ela incrédulo.

— De Sam? — perguntei.

Ela deu de ombros e disse:

— Olhe só para ele. É maravilhoso!

Eu olhei. E não vi nada de maravilhoso. Mas quando me voltei para ela percebi que tinha falado sério. Sam percebeu que Lindsey olhava para ele e sorriu, o que a fez corar e esconder o rosto no meu ombro. Só para ele não entender errado, fiz um gesto sutil indicando que a história era entre eles dois. Duas semanas depois, eles se tornaram Sam e Lindsey. Zoei muito ela por ter ficado tão vermelha naquela noite.

Lindsey enrola o macarrão com o garfo e olha de soslaio para mim.

– Ande, me conte tudo. Quase não vi você esse verão. Como foi? O que você fez?

– Foi legal.

Não consigo pensar em nada interessante para contar, além dos shows que vi com Brooke e as viagens que fiz para visitar Anna em La Paz, por isso não entro em detalhes e pergunto o que ela fez. Lindsey me diz que passou a maior parte do verão dirigindo pela estrada, participando de torneios de vôlei de praia no sul da Califórnia.

Isso me faz lembrar de que tem muito tempo que não a vejo jogar.

– Quando é seu primeiro jogo? – pergunto.

– No sábado da semana que vem. Você devia ir. Sam vai. – Ela o cutuca com o cotovelo e abre um sorrisinho. – E vai estar de chapéu.

Sam ignora o comentário dela e se debruça sobre a mesa, apoiando o queixo na mão.

– O que você vai fazer hoje depois da aula? – quer saber ele.

– Dever de casa. – Penso em todos os trabalhos que passaram nas últimas quatro aulas, e o mais triste é que ainda tenho três meses pela frente.

– Só isso? – pergunta Lindsey.

– Não sei. Cheguei a pensar em praticar escalada no ginásio. – Olho para Sam. – Quer ir?

— Claro. Mas tem que ser mais tarde. Tenho que dar monitoria hoje.

Desde quando Sam é monitor?

— Você está na monitoria?

Ele encolhe os ombros.

— Eu devo ter contado. Comecei no fim do ano passado, mas esse ano estou com a turma de matemática do sexto ano, então ficou mais pesado. — Ele bebe um grande gole de água. — É divertido. Você também devia fazer. Vai ajudar ao se candidatar para alguma universidade.

Ainda nem pensei nessas coisas.

— As crianças são legais?

Sam balança a cabeça.

— Claro que não. São um bando de pivetes mimados com sérios problemas de falta de limites.

Eu rio.

— Ótimo jeito de me convencer.

— Estou brincando. Alguns são legais. Mas, sério, você seria bom nisso. Leva jeito com criança.

— É — respondo, sendo sarcástico. — Sou superpaciente. Ainda mais com os mimados e sem limites. — Dou um sorriso largo para ele e ergo os polegares.

Pego minha água e, de repente, entendo o que Lindsey quis dizer quando perguntou: *Só isso?* As tardes de todo mundo estão lotadas de compromissos esportivos, reuniões com grupos específicos e projetos de serviço comunitário que ajudam durante o processo seletivo para as universidades. Ainda nem pensei no que vou fazer ano que vem, muito menos passei a me dedicar ao que pode facilitar minha aprovação.

O sinal toca e todo mundo joga o lixo nas latas antes de seguir em diferentes direções. Lindsey revira os olhos para Sam mais uma vez, antes de se voltar para mim.

— Fique de olho nele — diz ela, dando uma piscada.

Eu rio pensando em como Lindsey e Anna se dariam bem. *Nós* quatro nos divertiríamos muito juntos.

Fico feliz por Sam e eu estarmos seguindo para o mesmo lado, porque nem olhei o número da minha sala antes de guardar o papel com o horário no bolso. Enquanto andamos pelos corredores a caminho dos armários, volto a pensar em Anna e começo a organizar mentalmente o horário dela, imaginando o que deve estar fazendo em Evanston em 1995. Será que ainda está na aula ou já foi treinar na pista? Era seu dia de trabalhar na livraria? Será que ela, Emma e Danielle falam sobre mim durante o almoço? Anna contou a elas que vou voltar? Emma ficou revoltada quando descobriu?

Sam para de repente.

— O que foi?

Ele aponta para uma fileira de armários.

— Não precisa pegar seu material?

— O quê? Ah, é...

De repente me dou conta de que estamos parados na frente do *meu* armário.

Sam balança a cabeça e me olha como se sentisse pena.

— Juro, cara, parece que você voltou, mas não está aqui.

Evito olhar para ele quando giro a combinação do cadeado. Nem eu teria sido capaz de explicar melhor.

11

Depois de uma hora praticando escalada na academia com Sam e após um jantar rápido com meus pais, subo para começar meu dever de casa. Entro no site do colégio e verifico as tarefas da semana. Tenho duas horas de leitura de química, um trabalho sobre a ascensão da civilização do Tigre e Eufrates para entregar daqui a duas semanas e devo começar a escrever uma dissertação para a aula de inglês.

Jogo o corpo para trás com os braços cruzados atrás da cabeça, encarando o teto. Até recentemente, nunca pensei muito no meu quarto. Minha mãe contratou uma decoradora quando nos mudamos quatro anos atrás, e não me lembro de ter escolhido nada.

Diferentemente do quarto de Anna, não tenho pôsteres nas paredes, nem mapas do mundo nem estantes cheias de troféus e CDs. É tudo branco. Paredes brancas. Teto branco. Tapete branco. Edredom branco. A mesa é de vidro e metal, mas isso não contribui para romper a monotonia. A única cor vem de um quadro enorme, que minha mãe comprou em um leilão de arte dois anos atrás, e da vasilha de vidro vermelho transbordando de ingressos de todos os shows a que já assisti, que fica sobre a mesa de cabeceira ao lado da minha cama. Com exceção dessa tigela, meu quarto poderia pertencer a qualquer pessoa.

Anna só passou alguns minutos no meu quarto, mas, nesse curto período de tempo, deve ter percebido o que era: um ambiente que parece ter sido arrumado para ser vendido em breve.

Eu devia começar meu dever de casa, mas, em vez disso, pego o celular. São pouco mais de nove da noite aqui e uma hora mais tarde em Boulder. Digito uma mensagem para Brooke:

> Tá aí?

Espero a resposta, e finalmente meu telefone toca.

> Ahã. Estudando.

> Como foi seu primeiro dia?

Respondo com uma palavra:

> Porcaria.

A resposta de Brooke chega depressa:

> Que pena. :(

Olho para a tela pensando no que dizer. Por fim, digito:

> Sinto saudade dela.

Observo as palavras antes de apertar enviar. Alguns minutos se passam antes da resposta de Brooke:

> Eu sei. Vá fazer alguma coisa pra se distrair.

Foi por isso que fui escalar, mas só serviu para me deixar com vontade de estar ao ar livre, escalando rochas de verdade. E isso me faz lembrar o meu primeiro encontro com Anna.

> Tipo o quê?

Imagino Brooke suspirando irritada ao ler minha pergunta. Ela manda depressa três mensagens seguidas:

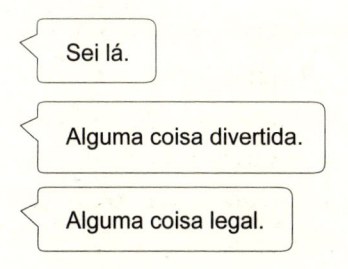

> Sei lá.

> Alguma coisa divertida.

> Alguma coisa legal.

Volto ao computador e me distraio pensando em ser aceito na faculdade, enquanto converso com várias pessoas sobre atividades extracurriculares. Procuro trabalhos voluntários e, apenas em São Francisco, encontro centenas, desde empregos de meio período para ajudar gente da terceira idade e até trabalhos com crianças dos bairros pobres da cidade.

Um site chama minha atenção, e sei o motivo. Clico, dou uma olhada nos programas e assisto ao vídeo. Depois volto ao mapa. O prédio fica no centro de Tenderloin, a um quarteirão de onde ocorreu o incêndio no último sábado.

Não é que eu tenha me esquecido disso. Faz três dias que essa história não sai da minha cabeça. Mas agora que o mapa preenche minha tela, não consigo mais impedir que isso domine meus pensamentos. Sem sequer pensar no que estou prestes a fazer, movo o cursor para o mecanismo de busca e digito "incêndio Tenderloin".

Surgem vários links e clico no mais recente. Basicamente relata a mesma coisa que os telejornais divulgaram sobre a manhã do sábado passado: um incêndio no apartamento do terceiro andar de um prédio matou duas crianças, uma menina de cinco anos e um menino de três. Os vizinhos ligaram para a emergência. A origem do incêndio continua desconhecida. A investigação está em andamento.

Desço a tela e encontro uma atualização na história: os investigadores ainda estão tentando determinar a causa. Os pais das vítimas não deram depoimento para a imprensa.

Quando clico no canto da janela, a página se fecha e a história desaparece. Afasto a cadeira da escrivaninha e pego o enorme livro de inglês que recebi hoje durante a aula. Eu me deito na cama e começo a ler. Só escrevi dois parágrafos do dever de casa, quando volto a me distrair.

Eu me levanto e retorno para a escrivaninha. Abro a última gaveta, enfio a mão e vasculho a fundo, bagunçando uma coleção de cartões-postais que comprei para dar a Anna, pedacinhos de papel que guardei sem qualquer motivo, mapas de escalada dobrados aleatoriamente e enfiados ali no meio de tudo. No fundo da gaveta encontro o caderno vermelho que escondi assim que voltei de Evanston no último fim de semana. Abro o caderno em uma das últimas páginas que está o canto dobrado.

Os cálculos são especialmente caóticos, e ainda se estendem pela junção das páginas e continuam pelas laterais. Até as marcas a lápis parecem frenéticas, mas me lembro com total clareza de ter escrito tudo aquilo e sei com certeza o que as anotações significam.

Eu mal conhecia Emma naquela época, mas passei a noite toda acordado calculando e considerando os riscos de alterar um dia inteiro para impedir um acidente e, possivelmente, salvar a vida dela. É claro que eu já havia voltado no tempo, cinco minutos aqui, dez minutos ali, e sempre modificando pequenos acontecimentos, coisas insignificantes. Mas eu nunca tinha voltado tanto tempo nem alterado de forma deliberada *tantos* eventos insignificantes. Eu nem sabia se isso seria possível. E, por mais que fosse, decidi que nunca mais repetiria aquilo.

Mas rever aquelas datas e aqueles cálculos me faz lembrar do que senti quando tudo acabou e vi a expressão de puro alívio de Anna. Ela praticamente pulou na garagem depois de ver Emma naquela manhã de sábado, com todos os seus órgãos internos intactos e a pele do rosto perfeita, sem arranhões, e enquanto eu a observava pelo para-brisa, fui dominado por um forte sentimento de orgulho. *Eu* tinha provocado aquilo. *Eu* tinha feito acontecer. Foi a primeira vez que senti que podia estar enganado com relação ao meu dom. Foi a primeira vez que me perguntei se meu pai não podia ter razão.

Estou percorrendo as páginas com o dedo, pensando na expressão do meu pai quando estávamos lado a lado na cozinha, assistindo ao telejornal. Ele queria dizer alguma coisa, mas ele sabia que eu não devia mais viajar. Além disso, eu já dissera muitas vezes que era inútil tocar nesse assunto de novo: eu não mudo as coisas.

Mas o que será que ele diria se soubesse que já mudei uma vez?

Por Emma, voltei cinquenta e duas horas no tempo. Será que eu conseguiria voltar ainda mais?

Abro o caderno em uma página em branco e começo a fazer novos cálculos. Sei que nunca vou conseguir responder com certeza às grandes questões éticas, mas alguns minutos depois já resolvi a matemática. Vou ter que voltar sessenta e quatro horas. Dois dias e meio... quase *três*. Eu teria que ficar lá do mesmo jeito que fiz com Emma e repetir aqueles três dias para garantir que a mudança se manteria, que nenhuma alteração não intencional ocorresse ao longo do caminho. Fecho o caderno com força, guardo-o no fundo da minha gaveta e volto para o meu dever de casa.

Isso é oficialmente insano.

Estou de pé no meu quarto, fechando o zíper da mochila. Está pesada, lotada de garrafas d'água, Doubleshots, Red Bulls, dinheiro, uma lanterna, um detector de fumaça e um extintor de incêndio. Olho em volta e balanço a cabeça. O que estou fazendo?

Antes que eu possa pensar melhor, fecho os olhos e visualizo meu destino. Quando os abro, estou na viela que encontrei no Google Maps, só um quarteirão ao sul do bloco de prédios. Nunca estive aqui e já torço para não ter que voltar.

Descrever aquela região como precária seria pouco. São só cinco e pouco da manhã, mas há atividades ocorrendo em todos os lugares. Um grupo de homens está reunido na frente da loja de bebidas na esquina, e as soleiras das portas estão ocupadas por moradores de rua encolhidos em sacos de dormir. Sinto um clima sinistro à minha volta, e fico em alerta para descer a rua em direção ao endereço que tenho. Mantenho a cabeça erguida e sigo em frente.

Fico aliviado ao encontrar o apartamento e, de algum jeito, me sinto um pouco mais em segurança quando entro no prédio. Dou uma olhada na lista colada à parede, com sobrenomes ao lado de cada pequeno botão preto, e encontro Walker. Confiro se não tem mesmo ninguém me olhando.

Fecho os olhos e, quando volto a abri-los, estou do outro lado da entrada principal. Não há nenhuma luz no térreo, e quase não dá para ver a escada. Pego minha lanterna na mochila e ilumino os degraus ao subir até o terceiro andar, em direção ao apartamento 3C. Fecho os olhos e visualizo o outro lado da porta.

Dentro do apartamento, eu me guio pelo corredor com ajuda da lanterna. Vejo fotos escolares nas paredes e, pela primeira vez esta noite, não questiono se isso vai dar certo ou não, apenas torço para que dê.

Eu me viro devagar e atravesso a sala a caminho dos quartos. Depois de passar pelo banheiro, paro e fico encarando duas portas fechadas. Não faço ideia de qual delas é a do quarto das crianças, então me lembro das imagens que a televisão transmitiu do prédio em chamas e deduzo que é a porta à direita. A que fica mais perto da rua. Viro a maçaneta e a porta se abre.

Do outro lado do quarto há duas camas idênticas, uma de cada lado de uma grande janela, de onde é possível ver a rua lá embaixo. Uma fina fresta de luz passa pelas cortinas, projetando um brilho suave sobre o carpete encardido.

As crianças estão respirando baixinho, profundamente, e nenhuma delas se mexe quando tiro a mochila das costas e percorro o quarto. Eu me abaixo e pego o detector de fumaça novo em folha que encontrei no fundo de uma caixa na nossa garagem, na qual havia uma etiqueta identificando o conteúdo: melhorias da casa. Posiciono o detector na parede, o mais alto que consigo alcançar. Volto ao corredor, pego o extintor de incêndio que tirei de baixo da pia da nossa cozinha e o apoio na parede entre os dois quartos.

Fecho os olhos e visualizo exatamente o mesmo lugar onde eu estava antes do incêndio começar na madrugada do sábado passado: meu quarto.

Quando abro os olhos, o outro eu já desapareceu, mandado de volta para sei lá onde ou quando, e estou livre para ocupar o lugar dele.

Na última vez em que estive aqui, eu tinha acabado de vir quase me arrastando do sofá lá embaixo. Minha cabeça ainda doía e minha boca estava seca. Mas neste momento meu coração está acelerado de um jeito bom, e estou com tanta adrenalina que tenho a sensação de quase explodir. Não sei se deu certo ou não, e só vou saber quando as notícias forem ao ar daqui a algumas horas, mas, de algum jeito, tenho a sensação de que funcionou. Não era a isso que Brooke se referia quando disse que eu devia fazer "alguma coisa legal", mas tenho certeza de que foi o que acabei de fazer.

12

Na primeira vez que fiz isso me deitei sem nem tirar a roupa e dormi profundamente. Mas de jeito nenhum eu ia conseguir dormir esta noite. Eu já estava ali sentado há uma hora esperando ver os primeiros sinais de o dia clarear, pensando no que havia acabado de fazer.

De repente me dou conta. Na verdade, é estranho que eu não tenha pensado nisso até então, nem considerado esse dado no processo de decisão enquanto eu refletia em meu quarto durante a noite de segunda-feira que acabei de apagar. Eu estava três dias mais próximo de voltar para Anna. Mas agora eu teria que reviver esses três dias, como se jogasse o dado e ele marcasse *volte três casas*. Não sei se a mudança vai funcionar, mas uma coisa é certa: pode ter sido a atitude mais altruísta na vida.

A primeira coisa que escuto é a televisão, e quando entro na cozinha encontro meu pai exatamente no mesmo lugar em que estava na primeira vez: apoiado na bancada, comendo iogurte e assistindo ao jornal.

Minha expressão deve estar diferente desta vez, porque ele olha para mim e sorri.

– Ora, ora, tem alguém de bom humor – diz ele. – A viagem foi boa?

Meu coração acelera e me obrigo a manter a mesma expressão.

É uma superstição completamente infundada, mas ainda sinto uma forte necessidade de manter as coisas do mesmo jeito, pelo menos até saber se a mudança que fiz deu certo. Então, apesar de não estar com a menor fome, pego a caixa de cereal na despensa.

– A viagem foi ótima.

– Deve ter feito frio à noite.

Levo um segundo para lembrar o que falei na última vez.

– Não, fez calor à noite.

Meu pai termina de tomar o iogurte e se serve de suco, enquanto me obrigo a comer uma colherada de cereal. Surge então o mesmo silêncio desconfortável. As únicas vozes na cozinha vêm da televisão. Três. Dois. Um.

– As manchetes desta manhã – anuncia a apresentadora do jornal.

Deixo a tigela em cima da bancada e olho para a TV. Não surge o anúncio TRAGÉDIA EM TENDERLOIN. Em vez disso, o que vejo é um vídeo do prédio queimando em contraste com o céu escuro da noite ao fundo.

Um apartamento pegou fogo no bairro de Tenderloin nas primeiras horas desta manhã. Os vizinhos dizem que foram acordados por um alarme de fumaça e ajudaram os quatro moradores do apartamento a escapar antes que as chamas dominassem todo o edifício. Duas crianças, seus pais e um vizinho estão sendo atendidos neste momento no Hospital Geral de São Francisco sem consequência da inalação de fumaça. Os cinco devem receber alta ainda hoje, mais tarde.

Olho para o meu pai. Ele olha para a tela de vez em quando, mas hoje não larga o iogurte na bancada nem pega o controle remoto para aumentar o volume. Na tela, a apresentadora não chama a repórter no local para dar mais detalhes, porque ninguém foi para o local do incêndio. Em vez disso, a câmera abre para uma tomada mais ampla do estúdio, e ela olha para seu colega apresentador, que a encara com preocupação.

– Esse é um bom lembrete para conferir as baterias dos detectores de fumaça em sua casa.

Em seguida, o noticiário aborda a colisão entre dois carros na Bay Bridge. Meu pai não percebe que estou olhando para ele, incapaz de falar, de me mexer e até de respirar normalmente.

Consegui.

– Lembra aquele apartamento onde morávamos quando você nasceu? – pergunta meu pai. – Ficava na periferia. Nós nos mudamos para outro prédio quando você tinha quatro anos, mas, antes disso, sua mãe e eu também morávamos no terceiro andar.

Consegui de verdade.

Agora que sei que a reforma foi um sucesso, acho que não há mais necessidade de manter todos os elementos da conversa exatamente como na primeira vez. O que é bom, considerando que estou paralisado, encarando meu pai enquanto tento fechar a boca.

– Sua mãe odiava morar em um andar alto. A escada de incêndio era velha, o que eu achava legal, mas ela morria de medo de um incêndio nos obrigar a ter que usar a escada. Ela ainda é muito paranoica com fogo. Já reparou em todos os detectores de fumaça que temos nesta casa? – Ele ri. – Ela até me obriga a guardar alguns de reserva na garagem. Você está bem, Bennett?

Tenho que falar. Agora.

– Fui eu que fiz isso. – Minha voz treme.

– Fez o quê?

– Isso. – Aponto para a televisão.

Ele se vira e olha para o aparelho.

– Ah, é? Eu não sabia. Sempre achei que parecesse um pouco perigoso.

O jornal estava exibindo uma matéria sobre uma competição de bicicleta bem radical que aconteceria nas ruas do centro da cidade na sexta-feira.

– Não. Isso, não – digo, e meu pai me olha sem entender. Era melhor falar de uma vez. Se tudo acontecesse mais ou menos do mesmo jeito que na última vez, eu tinha só três minutos até que Brooke aparecesse. E quero que meu pai seja o primeiro a saber o que aconteceu. Quero contar enquanto estamos sozinhos. Mantenho a voz baixa e firme: – Pai, escute. Eu refiz esse acontecimento. O incêndio em Tenderloin. – Aponto novamente para a televisão, mas dessa vez ele não desvia o olhar de mim. Está me encarando, atento a cada palavra que digo. – Já passamos por isso aqui, e aquela história foi diferente. As crianças não escaparam do incêndio. As duas morreram.

Meu coração já estava disparado, mas, depois que pronuncio a última palavra, ele acelera ainda mais. Minhas pernas tremem, e apoio a mão na bancada para me equilibrar. Meu pai olha para a televisão, depois se volta para mim e de novo para a TV.

– Como assim? – pergunta ele.
– Aquelas crianças morreram. Mas voltei no tempo e mudei o que aconteceu.

Meu pai me encara como se eu houvesse contado uma piada que ele não estava entendendo.

Olho em volta da cozinha de um jeito um pouco paranoico para garantir que ainda estamos sozinhos, antes de explicar:

– Desci a escada, exatamente como fiz há dez minutos, e quando entrei na cozinha o jornal noticiava um incêndio que matou duas crianças em Tenderloin. Você não disse nada, mas eu sabia que queria. E deve ter achado que eu não me importava, mas me importei, sim.

Meu pai baixa os óculos no nariz e me observa por cima deles.

– Depois fomos velejar e, no dia seguinte, levamos Brooke ao aeroporto, e aí minhas aulas voltaram segunda-feira, e, francamente, foi um dia ruim, e não consegui parar de pensar naquelas crianças, então achei que... Por que não tentar? Eu quis ver se conseguia consertar aquilo tudo. Queria saber se podia impedir que essa tragédia acontecesse.

Meu pai abre a boca para falar, mas para. Ele passa um minuto inteiro me encarando, o rosto se contorcendo em diferentes expressões o tempo todo. Eu espero, sem desviar os olhos dele, prendo a respiração e tento adivinhar o que ele está pensando. Por fim, seu rosto relaxa. Seus olhos brilham. Percebo que ele está orgulhoso de mim.

– Ei! Você voltou para casa!

Levo um susto quando Brooke me abraça e cochicha:

– Nossa, aqui é um saco sem você. – Ela recua dois passos e olha de mim para o meu pai. – E aí? Tudo bem? – Ela fica na ponta dos pés para dar um beijo na sua bochecha.

– Sim, tudo bem. – Meu pai dá um sorrisinho para ela, mas não olha para mim.

Brooke se aproxima da geladeira e abre a porta. Ela fica parada no frio, tentando decidir o que comer.

Meu pai parece um pouco abalado.

– É melhor irmos logo. Eu só... – Ele para de falar enquanto olha ao redor. – Vou ver se a mãe de vocês precisa de ajuda.

Brooke serve cereal em uma tigela e se senta na bancada.

– Muito bem, a gente só tem alguns minutos. Conte *tudo*.

Como na última vez, falo em voz baixa tudo sobre Maggie e por que tem uma foto nossa com ela no zoológico, revelo o término do relacionamento de Emma e Justin e que os Greene me deixaram dormir no sofá da casa deles na minha primeira noite lá. Ela toma um gole de café e ouve com atenção cada palavra. Depois de eu ter relatado em detalhes praticamente toda a viagem, abaixo a cabeça e digo:

– Tem mais.

E conto sobre as duas crianças mortas no incêndio em Tenderloin.

E depois revelo que elas não morreram.

13

Meu segundo primeiro dia de aula começa diferente. Não fico sentado no meu carro ouvindo o sinal tocar ao longe e desejando poder fechar os olhos e abri-los em Westlake. Em vez disso, meu carro é um dos primeiros a parar no estacionamento dos alunos, e sou um dos primeiros a chegar à escola.

Sigo direto para o meu armário, enfio a lata de lixo debaixo da porta e jogo ali dentro todos os papéis e embalagens de barras de granola. Passo a mão mais uma vez pelo interior do meu armário e dou uma olhada lá dentro. Com exceção do adesivo que colei ali dentro no primeiro ano, está tão vazio quanto meu armário em Westlake.

Quando o primeiro sinal toca, já atravessei metade da quadra. Abro a porta da sala de aula de Civilizações do Mundo e descubro que ainda está vazia. Então me sento na fileira mais próxima da janela, mais ou menos na metade da fila, bem longe da mesa de McGibney.

Pego o caderno e um lápis na mochila, e, quando estou ali quase babando, ela entra, atravessa a sala e deixa a pasta ao lado da cadeira.

– Pontual – diz McGibney, e olho para ela.

– O quê?

– Você é pontual – repete a professora. – Qual é o seu nome?

– Bennett Cooper.

Levanto a mão, e ela acena com a cabeça.

– Ah – diz, e quase consigo ver as engrenagens girando na sua mente quando a história ridícula que minha mãe inventou surge na cabeça dela. – Bem-vindo de volta, Cooper. Ouvi dizer que teve que resolver alguns problemas. – Ela fala de um jeito simples, sem o olhar de piedade que sei que vou receber dos outros professores hoje.

– É verdade – confirmo.

– Bom, me avise se eu puder ajudar, certo?

Pessoas entram na sala, olham em volta procurando um lugar e vão se acomodando. Cameron me vê, e nos cumprimentamos batendo os punhos fechados quando ele passa pelo corredor. Ele se senta atrás de mim, no mesmo instante em que Megan entra e observa a sala. Eu me viro para conversar com Cameron, e não posso dizer que fico surpreso quando a vejo ocupar a carteira à minha esquerda.

– Oi, Bennett – diz ela.

– Oi – respondo. Estou me sentindo bem. Falante. Cheio de adrenalina, como se pudesse correr uma maratona e ainda ficar com energia de sobra. – Como foi o verão?

– Foi bom. Obrigada. E o seu?

– Legal – falo, e Megan assente, como se me encorajasse a continuar. E eu teria prosseguido, mas o sinal toca e McGibney começa imediatamente a dar aula.

Ela fala sobre as regras da aula, enfatizando bastante a importância de ser pontual e estar sentado no lugar pelo menos um minuto antes do último sinal tocar. Depois de olhar para a turma e declarar que todos estão presentes, ela se vira para o quadro branco com um movimento espalhafatoso e dramático.

– Agora vamos começar. Nas próximas duas semanas, falaremos sobre as primeiras civilizações.

E escreve "Primeiras civilizações", sublinhando as palavras antes de começar a fazer uma lista de tópicos marcados por pontos. Eu me lembro dessa parte e começo a prever o que ela vai escrever em seguida. "Cidades importantes", deduzo corretamente. Depois "sistemas de escrita"... Ela conclui com "estados formais".

Então se vira e se dirige à turma:

– Alguém sabe como descrevemos a transição do sistema de caça e coleta para os sistemas agrícolas mais formais?

Levanto a mão e Megan também. McGibney aponta para ela, mas me sinto orgulhoso porque, dessa vez, eu sabia a resposta. Por mais que tenha colado.

⁓

O esforço necessário é maior do que eu havia imaginado, mas nas três semanas seguintes "vivo no presente", como diz a sabedoria popular de para-choque de caminhão. Tento *não* pensar no meu passado com Anna nem especular sobre o meu próximo encontro com ela. Passo o dia na escola, converso com meus pais à noite e faço o que posso para me ocupar nos fins de semana. Fico parado no tempo, evitando ir a shows e ver jornais, eliminando todos os pensamentos que surgem sobre reformular acontecimentos.

Tento viver como se eu fosse normal. Eu me forço a não pensar em Anna cada vez que encontro meus amigos para tomar um café, andar de skate no parque com vista para a baía ou quando passo por uma loja que vende lembrancinhas e cartões-postais de São Francisco. Por mais difícil que seja, tento não pensar que ela não pode vir aqui conhecer minha família e meus amigos. Ignoro a realidade de poder levá-la a qualquer lugar no mundo, mas não ter como mostrar a ela a cidade que amo acima de qualquer outro lugar onde já estive. E, na maior parte do tempo, consigo fazer tudo isso. Mas, em alguns dias, vou automaticamente até a garagem, onde deixo o jipe estacionado entre aquelas paredes com cheiro de ranço, e fico apenas ouvindo música por um tempo.

setembro de 1995

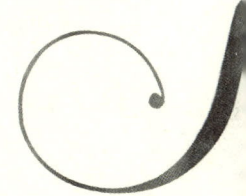

14

evanston, illinois

Antes mesmo de abrir os olhos, sinto um vento frio no rosto. Espero ver nuvens e neblina, mas, quando olho para o céu, o encontro azul e limpo. Espio de trás da parede lateral da casa de Maggie e vejo o sol brilhando sobre sua horta de tomates.

Eu estava confuso sobre como e para *onde* voltar. Uma coisa era morar ali, entrar e sair todo dia, mas agora é um pouco esquisito aparecer e entrar pela porta da frente como se aquela fosse minha casa, apesar de Maggie ter me dado uma cópia da chave para que eu usasse livremente. Não estou ansioso para contar a ela quem sou e o que consigo fazer, mas seria bem legal poder voltar para cá sem ter que me preocupar com a possibilidade de minha chegada provocar um infarto em minha avó.

Ninguém responde quando bato à porta. Depois de um minuto esperando, eu entro.

– Maggie? – chamo do hall de entrada.

Ando pela casa, conferindo a cozinha e a sala, mas não encontro ninguém. Ela deve estar no quarto, mas não quero espiar lá, então sigo direto para o meu.

Meus pôsteres novos enfeitam uma parede, e a foto que Anna tirou da nossa praia em La Paz está pendurada em cima da cama. Deixo minha mochila na cadeira ao lado da porta e me aproximo do armário.

Minhas camisetas novas estão dobradas e empilhadas em uma prateleira e a camisa social nova que Anna me ajudou a escolher está pendurada. Socadas no fundo do armário estão todas as roupas de inverno que eu trouxe da primeira vez. É difícil imaginar que no mês que vem vou ter que usar novamente os casacos de lã e as camisetas de manga comprida.

Minha mochila está cheia de coisas de que preciso e não tenho como comprar aqui: mais dinheiro, embora o compartimento secreto continue cheio. A falsa carteira de motorista do estado de Illinois, que comprei de um falsário e imita perfeitamente a cópia que entreguei da carteira de Maggie, mas com minha foto e minha data de nascimento (6 de março de 1978, em vez de 6 de março de 1995). Abro a gaveta de cima do armário para guardar tudo lá dentro e encontro um bilhete.

Dê uma olhada no armário.
Com amor,
Anna

Tapo a boca com a mão, escondendo o sorriso que abro quando encontro um aparelho de som portátil. Apoiado à alça tem um cartão-postal com uma foto do centro de Evanston. Pego o cartão e viro o verso:

Bem-vindo de volta. Achei que você fosse gostar de colocar para tocar aqueles CDs que você trouxe na última vez que esteve aqui.

Tenho que ajudar Emma a arrumar tudo. Vejo você na casa dela às 7h.

O aparelho de som é mais pesado do que eu esperava. Eu o deixo em cima da mesa e me sento para poder analisar os botões e seletores antigos, dou uma olhada no deck duplo de fitas cassete e na faixa de sintonia do rádio, e aperto o botão marcado com "Mega Baixo". Quando aperto um dos botões na parte de cima, um compartimento se abre lentamente. Lá dentro encontro um dos CDs que compramos na última vez em que estive aqui.

Quase não consegui conter o riso quando Justin pôs aquele CD na minha mão. Eu já considerava *The Bends* um clássico, mas por aqui eles o consideravam o segundo álbum de uma banda nova chamada Radiohead. Aperto o play e o quarto é tomado pela música, com uma guitarra constante e percussão suave, depois entram as vozes e melodias. Fecho os olhos, absorvo a canção e sinto que abro um sorriso. Olho para os pôsteres no meu quarto e percebo que ajudam, mas ainda me deixavam com a sensação de insuficiência. Música. Era disso que o quarto precisava.

Depois de trocar de roupa, desço até a cozinha em busca de alguma coisa para comer. Quando estou descendo a escada, não consigo me livrar da sensação de estar sendo observado pelas fotos da minha mãe, agora em ordem cronológica contrária, começando pelo seu casamento no alto e terminando com a foto do jardim de infância perto do hall.

Aparentemente, Maggie ainda não voltou para casa. Tem uma pilha de contas embaixo dos Post-its na mesinha da entrada, então me sento e escrevo três bilhetes avisando que voltei. Deixo um na mesa da cozinha, outro na mesinha lateral, onde ela sempre toma chá, e o último na ponta do corrimão, caso decida subir antes de ler os outros dois.

Ainda faltam umas seis ou sete casas até chegar à casa dos Atkinses quando ouço música vindo de algum lugar da vizinhança, mas só quando paro na frente da casa eu entendo o que Anna quis dizer quando descreveu a festa de aniversário de Emma como "mais que demais".

Vários balões brancos e cor-de-rosa acompanham toda a entrada, criando um caminho colorido desde a calçada até a porta lateral da mansão de estilo Tudor.

Olho em volta. Acho que devo entrar por ali.

Do outro lado, encontro uma mulher de cabelo loiro e curto usando um vestido cor-de-rosa. Ela está parada ao lado de uma mesinha que fica embaixo de um arco de balões enorme.

— Bem-vindo! — diz ela sorridente. Não sei quem é, até que pergunta: — Quer beber alguma coisa? — Seu sotaque britânico é tão forte que ela só pode ser a mãe de Emma. Aceito um copo de limonada cor-de-rosa e agradeço. — Estão todos no quintal — avisa.

Depois volta sua atenção para um grupo grande que está chegando.

— Bem-vindos!

Escuto a voz dela ao me afastar em direção ao "quintal". Que, na verdade, é um parquinho.

Flores roxas e cor-de-rosa surgem por trás de cercas baixas, e a grama é tão verde que sinto vontade de me abaixar e tocá-la para ter certeza de que é real. A calçada leva a pátios menores e áreas reservadas com cadeiras, até terminar em um imenso gramado. Há um DJ no extremo oposto dessa área.

Olho em volta em busca de Anna. Encontro Alex e Courtney dançando em frente ao DJ. Ele a segura pelo quadril e a puxa para mais perto, enquanto ela reage dando sorrisos amarelos e o empurra para longe. Continuo procurando. Finalmente a cabeça de Danielle surge no meio das demais. Ela acena e vem andando na minha direção.

– Ela vai ficar muito feliz em ver você – diz me dando um abraço. – Ela não falou de outra coisa nas últimas semanas.

Não sei bem o que responder, mas fico feliz por saber que ela tem pensado em mim tanto quanto penso nela.

– Cadê Anna?

Dou um pequeno gole na limonada. Está tão azeda que faço uma careta. Deixo o copo sobre uma mesinha ao lado de um arbusto de rosas.

Danielle fica na ponta dos pés, mas não adianta muito.

– Eu a vi mais cedo, mas... ah, espere, está ali! – Aponta para a beirada do jardim. Sigo a direção que ela indica, mas continuo não vendo Anna. – Perto daquela árvore grande, conversando com Justin.

Finalmente a encontro. Justin está encostado na árvore e Anna está parada diante dele. Ela está usando uma saia curta que parece muito mais apropriada ao guarda-roupa de Emma, e imagino que Anna tenha deixado Emma escolher o que ela vestiria para essa ocasião. Seu cabelo está puxado para trás nos lados e preso por uma fivela na parte de trás da cabeça, mas o resto está solto. Ela enrola os cachos com um dedo.

Justin me vê primeiro, e eu o ouço dizer:

– Ele chegou.

Anna se vira e, antes que eu possa dar mais um passo, joga os braços ao redor do meu pescoço. Justin olha em volta como se procurasse uma desculpa para se afastar.

— Vou pegar uma bebida — diz ele, depois me conta onde posso encontrar a cerveja que esconderam entre os arbustos.

— Obrigado. — Resolvo não explicar que não bebo.

Já tentei beber uma vez, durante uma festa no segundo ano, e foi um desastre. Depois de duas cervejas, bastava eu *pensar* que precisava fazer xixi que acabava voltando para o banheiro da minha casa.

Anna me abraça mais uma vez.

— Viu meu presente?

Assinto.

— Obrigado. É perfeito. Era exatamente o que faltava no quarto. — Recuo um passo e olho para ela. — Você está maravilhosa.

Anna olha para a própria roupa e balança a cabeça.

— Coisa de Emma, é claro.

A camiseta é mais decotada do que qualquer coisa que já a vi vestir, mas não quero deixá-la constrangida, então, não digo nada.

— Como foi sua viagem? — pergunta Anna, erguendo as sobrancelhas de um jeito debochado.

— Muito rápida.

— Nem deu para comer um amendoim a bordo?

Acaricio sua bochecha com o polegar.

— Não. Nada de amendoim.

Ela faz biquinho.

— Droga. Eu gosto de amendoim.

— Pode parar de falar e me deixar te beijar? — Começo a me aproximar, mas ela afasta e, por cima do meu ombro, observa a festa atrás de mim. Depois segura minha mão.

— Aqui não. — Ela me dá um beijo na bochecha. — Tenho uma ideia. Venha comigo.

Anna me leva até o outro lado do gramado, além do DJ e do limite do jardim. Não estamos exatamente escondidos, mas temos um pouco mais de privacidade.

Acho que finalmente vou beijá-la, mas ela se abaixa e me puxa para um pequeno pomar. Empurramos galhos e folhas para fora do caminho e, quando conseguimos ficar eretos de novo, estamos na beira de uma colina. Um portão alto de ferro cerca a encosta, e Anna tateia na escuridão em busca da maçaneta. Ela encontra o trinco e o portão range ao se mover em nossa direção.

Está escuro aqui, mas o caminho estreito é iluminado por várias lâmpadas escondidas nas samambaias e na grama que nos cerca. Pedrinhas rangem sob nossos pés enquanto caminhamos pela trilha até uma ponte de madeira. Quando atravessamos, vejo um banco de cimento ao lado de uma estátua gigantesca do Buda. Ainda consigo ouvir a música, apesar de mais abafada.

Anna para na frente do banco e se aproxima de mim, com as mãos na minha cintura.

— Então... você estava dizendo alguma coisa sobre amendoins — comenta ela sorrindo.

— Não, eu estava falando que ia te beijar.

E antes que ela possa dizer mais alguma palavra, apoio as mãos na parte inferior de suas costas e acabo com a distância entre nós dois. Sinto suas mãos na minha nuca, seus dedos brincando com meu cabelo, me puxando para perto. Anna me beija.

Quando paramos, ela não abre os olhos nem se afasta. Sinto sua respiração enquanto ela fala:

— Senti saudade. — Ela contorna meu maxilar com o dedo, e meu coração acelera. — Me conte como foram suas últimas semanas. Quero saber tudo.

Tudo. Respiro fundo e me preparo para falar. Passei três semanas esperando para contar *tudo* a Anna. Quantas vezes fiquei olhando para o celular, querendo poder ligar para ela e falar sobre o incêndio, sobre as duas crianças que estão vivas, mas não deveriam estar, e sobre a expressão que meu pai fez quando contei o que havia feito? Finalmente ela está aqui, olhando para mim toda meiga e cheia de expectativa. Minha cabeça se esvazia por completo.

Ainda não estou preparado para isso, então decido fazer um aquecimento falando sobre coisas básicas. Eu me sento no banco, e Anna se senta na minha frente. Quando falo, ela se inclina na minha direção como se meu horário de aulas fosse particularmente interessante, e quando conto a ela sobre meus amigos e como é estranho voltar a conviver com eles, ela se aproxima ainda mais e segura minha mão, contornando com delicadeza as linhas da minha palma enquanto me ouve.

Assim que termino, pergunto como vão as coisas em Westlake. Ela me conta sobre a aula de Argotta e a respeito de seu novo parceiro de conversação. Diz que, toda vez que se vira e olha para a carteira que era minha, fica feliz por pensar que eu costumava me sentar ali e triste por aquele não ser mais o meu lugar. No último fim de semana, ela fez seu melhor tempo no treino de corrida.

Ficamos quietos por alguns minutos, e encontro minha deixa. Respiro fundo me preparando para contar sobre o incêndio, mas, antes que eu consiga fazer isso, ela faz carinho na minha mão e diz:

— Preciso contar uma coisa.

Sorrio para ela.

– Eu também.

– Você primeiro – determina Anna.

– É? Tem certeza?

No fundo, fico feliz por não ter que esperar mais. A princípio eu estava nervoso, mas, agora que já começamos, mal posso esperar para ver a expressão dela quando eu contar o que fiz.

Anna assente.

Balanço a cabeça enquanto procuro as palavras certas para começar minha história bizarra. Ainda é um pouco difícil acreditar. E falar em voz alta é ainda pior.

– Fiz uma coisa muito louca. Ou idiota. Ou incrível... Não sei. É difícil classificar.

Ela me olha intrigada.

– Meu pai e eu estávamos assistindo ao jornal um dia desses de manhã quando vimos uma notícia sobre duas crianças que morreram quando o apartamento onde moravam pegou fogo. Nos dias seguintes, eu, eu... – Começo a gaguejar e passo os dedos no cabelo enquanto escolho as palavras certas. – Não consegui parar de pensar naquilo. – Tomo cuidado com o que vou dizer em seguida, evitando deliberadamente revelar coisas sobre o futuro, informações que não posso dar a ela, como matérias on-line e o Google Maps. – Tudo começou por curiosidade. Fiquei sentado, rabiscando equações e conversas relativas ao tempo no meu caderno, tentando decidir se aquilo seria possível, mas, antes que eu me desse conta, estava vasculhando minha casa em busca de um extintor de incêndio e de um detector de fumaça.

– Não acredito... – Os olhos dela se iluminam e ela dá um sorriso. – Você impediu?

Balanço a cabeça.

– Não impedi o incêndio, só... reajustei algumas coisas.

– Você... reajustou algumas coisas?

Conto a ela que andei pelo apartamento escuro. Descrevo as fotos escolares nas paredes e explico que consegui instalar depressa o detector de fumaça sem acordar as crianças.

– Voltei no tempo e reformulei quase *três dias*. Antes de Emma, eu nunca tinha voltado mais que cinco ou dez minutos, sabe? Eu nem sabia que era possível. Mas funcionou. Quando voltei à cozinha naquela manhã, o jornal noticiou um incêndio sem vítimas em um prédio, em vez de um incêndio que matou duas crianças. E quando contei para o meu pai o que eu tinha feito... – Minhas palavras pairam no ar. Olho para baixo, observando um arbusto pequeno, e Anna apoia as mãos no meu quadril.

– Você mudou um acontecimento.

Assinto lentamente. Depois não consigo me conter e sorrio para ela.

– Não sei se agi certo ou não. Agora não importa, foi só essa vez. Ou duas vezes, acho, contando Emma. Eu só queria saber se conseguia fazer de novo.

– E conseguiu.

– É.

Anna segura meu rosto e me beija. Em seguida se afasta e fica olhando para mim pelo que parece bastante tempo. Presumo que esteja tentando pensar em alguma coisa para dizer. Por fim, lembro que ela também tinha algo para me contar.

– E aí, o que você tinha para me contar?

Ela olha para o relógio.

– Nada. Pode esperar. – Ela fica de pé e me estende a mão. – Já ficamos muito tempo aqui. Emma deve estar me procurando.

Sei que esta deve ser a noite de Emma, mas ainda não estou preparado para voltar para lá e dividir Anna com os amigos. Eu queria saber quando vamos ficar sozinhos de novo.

Antes que eu possa dizer alguma coisa, ela dá de ombros e fala:

– Sério. Não é nada importante. Conto mais tarde.

Voltamos pelo mesmo caminho. Quando saímos do meio das árvores, vejo Emma naquele instante, o que não me surpreende. Seria difícil não vê-la dançando com um grande grupo de amigas vestindo saia curta, camiseta justa e cortada pela metade e um enorme chapéu de pano no formato de um bolo de aniversário.

Quando nos vê, Emma corre até nós e me abraça apertado. Dou parabéns pelo aniversário, e ela segura minha mão e a de Anna e nos leva para a área do gramado que foi transformada em pista de dança. Tento não pensar que sou o único homem ali.

Faz uns cinco minutos que estamos dançando e já acho que é mais que suficiente. Estou prestes a sair dali, quando Emma passa um braço por cima do meu ombro e me puxa para perto.

– Senti saudade de você, *seu desgrenhado*. – Ela despenteia meu cabelo e não consigo conter um sorriso. Ninguém me chama assim há meses.

– Também senti saudade, Em.

Ela fica na ponta dos pés e se posiciona bem diante de mim.

– Ouvi falar que você transformou minha doce Anna em uma grande mentirosa – diz, balançando a cabeça.

Essa era a última coisa que eu ia querer fazer. Olho para ela, totalmente confuso.

– Como assim?

Emma me encara como se eu devesse saber sobre o que ela está falando.

– Esta noite? – pergunta, erguendo as sobrancelhas enquanto espera que eu entenda a acusação.

Começo a me sentir meio burro, porque ainda não entendo aonde ela quer chegar.

– Não faço ideia do que você está falando.

Ela se afasta e analisa minha expressão, e acho que conclui que estou dizendo a verdade.

– Ela não te contou? – pergunta.

Nego com a cabeça.

Emma coloca a mão no meu ombro e cochicha no meu ouvido:

– Os pais dela não sabem que você está aqui.

Quando se afasta, eu a encaro. Continuo sem entender.

– Ela falou para eles que vai dormir aqui, na minha casa. Trouxe até uma mochila e tudo. – Emma pisca.

Eu me viro e olho por cima do ombro para Anna. Ela está dançando com várias pessoas, mas continua olhando para nós dois.

– Sério? – pergunto sem desviar os olhos de Anna.

– É sério. – Emma despenteia meu cabelo de novo. – Acho que alguém me deve uma – cantarola ela.

Temos uma noite inteira juntos. Nunca tivemos uma noite *planejada*, e sei exatamente o que vou fazer. Mas, por enquanto, só preciso sair da pista de dança. Encontro Justin perto da árvore, conversando com dois caras que não conheço.

– E se eu falar com seu ex para ver o que posso fazer por vocês dois?

Ela resmunga.

– Quem disse que quero voltar com ele?

– Dá para perceber pelo jeito que você fica olhando para lá o tempo todo, desde que começamos a conversar.

Emma comprime os lábios como se tentasse conter um sorriso. E bate com o dedo no meu peito três vezes enquanto fala:
— Somos. Só. Amigos.

Mas não deveriam ser, sinto vontade de dizer. *Deviam estar juntos. E talvez estivessem, se eu não tivesse apagado as primeiras quatro horas da primeira vez que eles saíram juntos.* Então me lembro do sábado que Anna e eu modificamos. Como praticamente criamos duas versões do mesmo dia, uma que acabou com um horrível acidente que deixou Emma na UTI, e outra que terminou com Anna, Emma, Justin e eu indo ao cinema juntos. A primeira versão encerrou com Justin contando a Anna que ele e Emma passaram uma manhã incrível na casa dela, conversando de um jeito que o deixou surpreso e, sem dúvida, muito a fim dela. Na segunda versão os dois terminaram o namoro alguns meses depois.

Seria bom não me sentir tão responsável pela segunda versão, mas é o que eu *sou*.

— Não quer que eu fale com ele, então? — pergunto.

Ela olha para Justin e depois para mim. Fico esperando.

— Tudo bem — aceita Emma, suspirando fundo. — Se quiser mesmo fazer isso...

Aceno discretamente para ela, feliz por ter um bom motivo para sair da pista de dança, e me aproximo de Justin. No caminho, pego uma Coca de um balde com gelo e abro a latinha.

Ele me apresenta aos amigos, dois caras com quem trabalha na rádio, e passamos os dez minutos seguintes conversando sobre música. Até que uma hora os dois se afastam para pegar uma cerveja escondida, e eu fico sozinho com Justin.

— Então — começo, bebendo um gole da Coca. — Posso fazer uma pergunta?

Justin concorda balançando a cabeça.

— O que aconteceu com você e Emma durante o verão?

Ele olha na direção dela, que está com Anna no meio do grupo na pista de dança, pulando como manda a letra da música.

— Não sei — responde sem desviar os olhos da pista. Depois fixa o olhar no seu copo vermelho, como se a resposta que procurava estivesse ali no fundo. — No começo achei que a gente se dava bem, sabe? Mas, após um tempo, fiquei com a impressão de que estávamos fazendo um esforço muito grande. Ou... talvez eu estivesse.

Olhamos de novo para a pista. A música acaba e vemos Emma sair de lá com um braço entrelaçado em Danielle e o outro sobre os ombros de Anna. Ela está levando as amigas para o grande balde com bebidas no canto do gramado. Emma pega três refrigerantes, entrega dois às amigas e abre sua latinha.

— Não me entenda mal — continua Justin. — Ela é divertida, linda e tenho certeza de que todo mundo aqui me acha maluco por ter terminado com ela. Mas, sinceramente, acho que nunca me acostumei de verdade com a ideia de nós dois juntos.

— Talvez não tenha dado muita chance a ela.

Ele ri.

— Você está parecendo Anna. — Ele desvia o olhar ao dizer o nome dela. Tem alguma coisa em sua expressão que não consigo interpretar.

Penso em quantas vezes fiquei sentado em São Francisco lembrando os meses que passei nesta cidade, não sentindo saudade apenas de Anna, mas de Justin e Emma também.

— Sei que vocês terminaram, mas não dá para nós quatro combinarmos alguma coisa neste fim de semana, enquanto eu estiver aqui?

— Claro. Ainda saímos juntos. Somos bons amigos.

– Mas é só isso? – pergunto. Eu me viro para Anna e noto as três vindo em nossa direção.

Justin também vê e, de repente, baixa a cabeça como se estivesse envergonhado.

– É só isso, sim. Mas gosto dela. Bastante. Sempre gostei.

Percebo que seus olhos procuram novamente as garotas e, por um momento, me pergunto se ele ainda está falando sobre Emma.

A mãe de Emma para ao lado de Anna e pergunta se ela pode entrar e ajudar com o bolo, e finalmente encontro uma chance de escapar da festa. Percorrendo o caminho que Anna me mostrou mais cedo, passo pela mesa de comida e saio do quintal, seguindo pelo pomar e portão de ferro.

Sigo pela alameda cheia de curvas que leva até o banco de cimento e continuo andando em direção ao pequeno galpão que notei mais cedo. É um depósito de ferramentas de jardinagem e fica no canto do terreno. O espaço é mais apertado do que eu imaginava, mas serve. Fecho os olhos. Quando volto a abri-los, estou no meu quarto na casa de Maggie.

Eu me apresso. Minha mochila vermelha está em cima da mesa, e ali dentro enfio duas camisetas, um suéter e um grande maço de dinheiro do armário. Verifico se minha identidade de Illinois está na carteira e pego mais algumas notas só para garantir. Encontro a caixa de papelão que havia guardado no fundo do armário e pego o resto das coisas de que eu e Anna vamos precisar: quatro garras d'água, duas garrafas com Frappuccino da Starbucks e um pacote fechado de biscoito salgado.

No banheiro, descubro que Maggie encheu as gavetas pensando em mim. Há uma nova pasta de dentes ainda na caixa, três escovas de dentes ainda lacradas e uma embalagem com seis lâminas de barbear descartáveis.

Desço e chamo Maggie algumas vezes, mas não há resposta, então escrevo bilhetes novos e substituo os que deixei mais cedo. Estou no corredor, prestes a voltar à festa, quando tenho uma ideia. É um grande risco, mas imagino que todo mundo esteja ocupado agora cantando "Parabéns Pra Você", por isso fecho os olhos e os abro no canto do quarto de Emma. Imediatamente, vejo a mochila de Anna no chão, ao lado da cama. Tem espaço suficiente na minha mochila, por isso a enfio lá dentro.

Fecho os olhos de novo imaginando a pequena área atrás do galpão no quintal da casa, e é lá que vou parar quando abro os olhos. Deixo minha mochila no chão, espio pela lateral do galpão e volto à festa sem chamar a atenção.

– Bolo? – oferece Anna quando volto para o lado dela.

Meu rosto continua quente e minhas mãos ainda tremem quando pego o prato da mão dela, mas Anna não parece notar. Ela vê um grupo de amigas da corrida e me puxa para perto delas, dizendo que quer que eu as conheça melhor.

Quando a temperatura começa a cair e os balões do arco começam a murchar, o DJ anuncia a saideira. Vejo Emma sair do gramado, se aproximar de Justin e levá-lo para a pista. Justin fala alguma coisa, e ela joga a cabeça para trás, rindo. Na ponta dos pés, ela o beija no rosto e põe o chapéu de bolo de aniversário na cabeça dele. Justin tenta devolver o chapéu, mas Emma continua enfiando-o em sua cabeça. Cutuco Anna com o cotovelo e faço um gesto sutil em direção aos dois.

– Olhe que interessante.

Ela segue meu olhar e depois se volta para mim com um enorme sorriso.

– É mesmo.

Justin está dançando. Tipo, dançando de verdade. Pulando e agarrando Emma pela cintura. Ela sorri como se estivesse tendo a melhor festa de aniversário de todas.

Quando olho para Anna, percebo que ela está observando seus dois melhores amigos e imagino se está pensando no que fizemos naquele dia. Eu queria saber se ela olha para eles assim como eu, sabendo que deviam estar juntos, e se ela se sente responsável por não estarem. Mas, de repente, Emma e Justin desaparecem dos meus pensamentos. Fico olhando para Anna e só consigo pensar na mochila atrás do galpão de ferramentas, ao pé da colina. Sem querer, deixo escapar um riso.

Ela percebe.

– O que foi? – pergunta, e seu tom de voz sugere que está curiosa, como se quisesse saber, mas ao mesmo tempo tem medo de ouvir a resposta.

– Você tinha que me contar uma coisa – digo, contendo o riso.

Ela fecha a boca e respira fundo.

– É, eu ia, eu... – Antes que ela possa concluir a frase, eu a impeço.

Afasto o cabelo do seu rosto e beijo sua testa.

– Vá se despedir de Emma e me encontre daqui a dez minutos no jardim... onde fomos mais cedo. Não deixe ninguém ver você.

A princípio, Anna parece confusa, mas, ao olhar para mim, sorri e assente sem fazer perguntas. Eu me viro e me afasto dela, e pela terceira vez esta noite, percorro a trilha que leva aos fundos do jardim. E pego minha mochila atrás do galpão.

Ando de um lado para outro. Eu me sento no banco e me levanto de novo. Observo a estátua do Buda. Até que finalmente vejo o rosto de Anna surgir por trás das árvores. A fechadura do portão de ferro range e escuto quando ela a abre e a fecha em seguida.

Os pés dela fazem barulho ao pisarem no cascalho, e ela para quando me encontra nas sombras, encostado no galpão.

– Por que estamos aqui? – pergunta Anna.

Sem dizer nada, dou um passo à frente, agarro sua nuca e a beijo. Sinto que ela sorri quando desiste de todas as perguntas, abre os lábios e retribui meu beijo. Sinto gosto de bolo.

Ela apoia as mãos no meu quadril e intensifica o beijo. Crava os dedos na minha pele e sobe por minhas costas. Começo a me perguntar se algum dia vamos conseguir sair daqui, quando ela sussurra:

– Por que trouxe sua mochila?

Eu a beijo de novo.

– Me dê suas mãos.

Ela está ofegante.

– Por quê? – pergunta, mas não hesita nem por um segundo.

Sinto seus dedos descendo até minha cintura, tocando meus braços, seguindo a curva do cotovelo até encontrarem minhas mãos.

As dela tremem de ansiedade, nervosismo ou uma combinação dos dois. Eu as seguro sem afastar nossos lábios. Nesse momento, só consigo pensar que sou grato por esse meu dom maluco que me permite levá-la para longe comigo por um tempo, desaparecer completamente em um lugar distante onde não há pessoas nem vozes ao fundo, onde não tem ninguém vagamente familiar para a gente.

Os olhos dela já estão fechados. Seguro suas mãos atrás das minhas costas, nossos dedos entrelaçados, ainda nos conectando, e mantenho seu corpo colado ao meu enquanto visualizo nosso destino.

Fecho os olhos.

E nós desaparecemos.

15

Abro os olhos em uma área isolada que encontrei alguns anos atrás, quando Brooke e eu estivemos aqui para ver um show do U2 em 1997. As mãos de Anna ainda estão entrelaçadas nas minhas, atrás das costas, e ela sorri, com os olhos fechados esperando que eu fale algo.

— Chegamos — digo. — Abra os olhos. — Assim que pronuncio as palavras, meu coração começa a acelerar.

Olho em volta, mas ainda não há muito para ver. Até sairmos de trás deste arbusto, pode ser qualquer lugar. Sigo o olhar de Anna, que observa as cercas de correntes e as janelas dos fundos das casas parecidas, uma do lado da outra. Ela passa o dedo do pé pelo cascalho, como se estivesse se esforçando para entender tudo aquilo. Quase não tem luz aqui, mas ainda assim consigo ver sua expressão enquanto gira lentamente sem sair do lugar. Depois ergue a cabeça, olha além dos arbustos e nota uma torre, uma estrutura de ferro iluminada por tantas luzes que parece ser feita de ouro. Anna tapa a boca com a mão e ri.

— Não acredito!

— Eu falei. Você precisava conhecer Paris.

Ela recua alguns passos, para ao colidir com meu peito e, sem se virar, procura minhas mãos e as puxa para a frente, envolvendo sua cintura. Depois vira a cabeça para olhar para mim, e apesar de não estarmos mais no quintal de Emma, continuamos exatamente de onde paramos há dois minutos.

Pulamos a cerca baixa que delimita o parque. Quando saímos do esconderijo, conseguimos ver toda a Torre Eiffel, da base ao topo, brilhando na nossa frente. São apenas nove horas e, surpreendentemente, não tem muita gente aqui. Anna e eu andamos de mãos dadas. Ela fica o tempo todo olhando para mim, sorrindo e balançando a cabeça.

De repente solta minha mão.

— Corrida — diz e sai na minha frente.

No começo consegue manter uma boa distância, mas fica toda hora ajeitando a saia, o que a faz perder velocidade. Eu a ultrapasso antes de virarmos a esquina e seguirmos pelo caminho que leva à estrutura metálica. Lá encontramos uma multidão de pessoas e grandes filas.

— Venha — falo quando começo a andar em direção ao fim da menor delas, mas Anna me segura pelo braço. Ela inclina a cabeça, olha para cima e depois para mim.

— Vamos ficar na fila?

— Ahã.

— Ah. — Ela olha de novo para o alto da torre e de volta para mim. — Por quê?

Apoio as mãos em seus ombros e dou um beijo rápido em seus lábios.

— Sem trapaça. — No tempo que levamos discutindo esse detalhe, pelo menos dez pessoas já entraram na fila. Paro atrás da última.

— E por que *isso*... — ela faz um gesto estranho com a mão — é trapaça?

— Porque é. Assim como escalar uma montanha. Você não pode chegar ao topo da montanha num passe de mágica e olhar sem mais nem menos para aquela paisagem insana. Tem que fazer por merecer. *Sem* trapacear. — Anna comprime os lábios como se tentasse não sorrir. — Além do mais, não há muitos lugares discretos por aqui. — Ela olha para mim, confusa, e chego mais perto para ninguém me ouvir. — Não tem por onde chegar sem ser visto por um monte de gente.

— Ah.

— E, você sabe, algumas podem ficar chocadas.

— É, acho que sim. — Ela assente e se esforça para ficar séria, mas vejo que tem um sorriso tentando surgir em seus lábios. — Vamos subir de elevador? — É uma pergunta, apesar de parecer mais uma afirmação.

— Não. Isso também é trapaça. — Ergo um dedo para impedi-la de falar e depois acrescento: — Espere um segundo.

Ainda não troquei meus dólares americanos por francos franceses, por isso dou uma olhada discreta nas pessoas na fila procurando o alvo perfeito, que encontro logo em seguida: um homem mais velho, de calça jeans, tênis e pochete com uma bandeira americana presa ao cinto.

Quando a fila anda, mostro três notas de vinte dólares e pergunto se ele pode comprar dois ingressos para o segundo andar com subida pela escada. O homem verifica os preços na placa, calcula o lucro que vai ter e, satisfeito, pega o dinheiro da minha mão.

— Escada? — pergunta Anna.

Apenas sorrio.

— Quantos degraus?

— Não sei. Muitos. Podemos ir contando, se quiser. — Ela bate em mim com o dorso da mão. — Confie em mim, você vai amar. Podemos parar e olhar a paisagem enquanto subimos.

O cara da pochete entrega nossos ingressos e seguimos para a entrada.

Descobrimos que são seiscentos e setenta degraus e nem precisamos contar porque são numerados de dez em dez. Quanto mais subimos, mais frequentes são as paradas de Anna para recuperar o fôlego. Mas percebo que ela não olha em volta, e quando aponto algum lugar, ela apenas assente e continua subindo. Parece aliviada quando finalmente chegamos à segunda plataforma.

Lá embaixo faz bem mais frio do que em Evanston, mas em cima da torre a sensação é de estarmos no meio do inverno. Anna tenta fingir que não está com frio, mas percebo que está tremendo enquanto ficamos ali junto da grade, observando a cidade. De repente lembro que trouxe meu suéter e o tiro da mochila para oferecer a ela. Anna veste o casaco, que quase cobre a bainha da saia, as mangas ultrapassam os dedos. Mesmo assim ela fica linda.

Alguém bate no meu ombro, e, ao me virar, deparo com uma mulher sorridente segurando uma câmera fotográfica na minha direção. Ela fala alguma coisa em uma língua que não é inglês nem francês, e aponta para si mesma e para o homem ao seu lado. Pego a câmera da mão dela e a entrego a Anna.

— Você é a fotógrafa — digo, e Anna parece grata ao aproximar a câmera do rosto. Ela tira algumas fotos e devolve o aparelho ao casal.

— Espero que pelo menos uma fique boa — cochicha ela quando os dois se afastam. — É provável que não passem outra noite na Torre Eiffel.

Estou quase falando para o casal conferir logo as fotos, mas então lembro que as câmeras ainda não funcionam desse jeito. Depois noto que Anna está observando em silêncio a paisagem. Queria ter tido a ideia de passar na casa dela para pegar a máquina fotográfica.

— Fique aqui — falo, sem dar tempo para ela reagir, e volto ao hall dos elevadores.

Passo pelas pessoas na fila e entro na movimentada loja de presentes. Encontro o que estou procurando logo atrás do balcão. Convenço o balconista a aceitar vinte dólares americanos por um item que custa dez francos e, menos de dez minutos depois, volto, carregando uma sacola plástica, até onde Anna está.

Mas não a encontro no local em que a deixei. Dou a volta na plataforma toda, mas não a vejo. Volto ao centro da plataforma e noto que ela está lá, andando de um lado para outro diante dos elevadores.

— Ei. — Eu me aproximo por trás e a agarro pela cintura. Ela se assusta. — Você está bem?

Anna se vira com os braços cruzados e os olhos semicerrados.

— Você me abandonou na Torre Eiffel?

— Só por um minuto — respondo, e ela arregala os olhos.

É claro que eu não devia achar graça disso, mas não consigo evitar. Ela está ali diante de mim, furiosa e linda com o meu suéter.

– Está rindo de mim? – Seus olhos ficam ainda mais arregalados, e acho que vai começar a gritar comigo ou algo assim, mas, em vez disso, Anna se aproxima e segura meu rosto. – E se acontecesse alguma coisa com você? E se fosse mandado de volta? – Balança a cabeça. – Nem sei que dia é hoje – ela praticamente sussurra.

Continuo achando tudo isso engraçado, embora não devesse, é claro.

– Desculpe. Eu não queria te assustar. – Eu a beijo, e fico aliviado quando ela não se opõe. – Não vou ser mandado de volta. Além do mais, você sabe que nunca levo você para outra época. Nunca. Está sempre a um telefonema constrangedor e a uma passagem de avião muito cara de distância dos seus pais, mas é só isso. Está bem?

Ela comprime os lábios e assente.

– Eu só queria te dar isto aqui.

Entrego a sacola a ela, e Anna dá uma olhada no que tem dentro. Sua expressão relaxa de vez e ela dá um sorriso.

– Você comprou uma câmera descartável?

Dou de ombros.

– Achei que ficou um pouco triste quando tirou fotos daquele casal. – Eu a conduzo de volta para perto da grade. – Sorria – digo, segurando a câmera diante de nós dois.

Aperto o botão e o obturador faz barulho, mas quando aperto outra vez nada acontece. Viro a câmera nas mãos, examinando todos os ângulos numa tentativa de descobrir o que fazer, mas Anna a pega de mim e, rindo, gira uma rodinha que deve servir para avançar o filme. Então estende o braço e aperta o botão.

Depois de tirar quatro ou cinco fotos, ela para e olha para a câmera. Pelo jeito que a analisa e passa o dedo pelas beiradas, me dou conta de que aquele aparelho contém muito mais do que algumas imagens de nós dois em um filme a ser revelado. Não é uma lembrança ou um cartão-postal, é mais do que ela já teve, é a prova tangível de que existimos juntos, fora do mundo dela e do meu.

— Bennett? — chama ela sem desviar os olhos da câmera.
— Hã?
— Vamos voltar para casa hoje à noite?

Os olhos dela encontram os meus, e nego com a cabeça.

Anna observa as vigas de ferro iluminadas acima de nós e abre um sorriso.

— Nunca imaginei que olharia para a Torre Eiffel e diria isso, mas... a gente pode sair daqui?

16

Nuvens filtram o sol da manhã, mas está claro o bastante para me fazer acordar. Esfrego os olhos enquanto observo o local desconhecido, aos poucos me lembrando de onde estou. Em Paris. Com Anna.

Ela está sentada no parapeito da janela, com as pernas descobertas dobradas e visíveis sob a barra de uma camiseta minha. Ela está apoiando o queixo nos joelhos e observa pela janela a cidade lá embaixo.

Chuto as cobertas para longe e atravesso o quarto.

— O que você está fazendo aqui?

Jogo o cabelo dela para um dos lados e beijo sua nuca.

— Não estava conseguindo dormir. — Anna fica quieta por alguns segundos, depois acrescenta: — Fico o tempo todo me lembrando de que isso tudo está acontecendo. Estou realmente aqui.

— Então é melhor nos apressarmos. Temos um dia inteiro em Paris, mas há muita coisa para ver.

Anna vira a cabeça e dá um sorriso enorme para mim. Depois se empertiga e gira o corpo, enlaçando minha cintura com as pernas e passando os braços ao redor do meu pescoço.

– Eu não estava falando de Paris. E sim de estar aqui com você.

―

Pegamos café na cafeteria lá embaixo e nos planejamos. Decidimos pular os pontos turísticos óbvios, como museus, catedrais e monumentos, mas concordamos que não podíamos deixar de passar pelo rio Sena, por isso pedimos nosso *pain au chocolat* para viagem e seguimos até o rio. Encontramos um lugar para nos sentar na margem, e Anna enfia um pedaço do pão na boca. Ela fecha os olhos, enquanto permite que a massa e o chocolate derretam na sua língua.

– Nossa, isso é incrível. Por que nós não fazemos nenhum pão com esse sabor?

– Nós quem? Você e eu? – brinco, e ela me encara.

– Os americanos.

– Ah, porque não somos franceses – respondo de forma direta.

Ela pega mais um pedaço e coloca na minha boca, provavelmente para me fazer ficar quieto.

Passamos o restante da manhã andando sem rumo, passeando pelas menores vielas que encontramos, entrando em padarias que exalam aroma bom demais para que a gente passasse direto. Anna para em uma loja de esquina que parece vender de tudo, de bebidas a bugigangas parisienses baratas, e se aproxima do refrigerador. Pega duas garrafas d'água e me entrega uma.

Estamos pagando pelos produtos, quando Anna nota o cartaz acima do balcão.

— Ah, olhe só isso. — Ela me dá um mapa plastificado. — É disso que precisamos — diz, indicando o papel.

Pego o mapa e coloco de volta onde ela o tirou.

— Não precisamos de um mapa.

— Por que não? — Anna parece confusa, mas depois fica desanimada. — Quantas vezes já esteve em Paris?

— Duas. Vim a dois shows e quase não andei pela cidade. — Anna espera pacientemente por uma explicação melhor. — Prefiro me perder, só isso.

Ela me encara com as sobrancelhas erguidas.

— Você quer se perder? Em Paris?

— Vai ser divertido.

Ela não parece convencida. Talvez esteja até um pouco apavorada. Por isso pego de volta o mapa e o entrego à caixa.

— Tudo bem. Vamos levar o mapa. Mas só precaução.

A atendente anuncia o valor total da compra, mas ergo a mão pedindo para ela esperar.

— Fique aqui. Já volto.

Anna inclina a cabeça para o lado e me olha como se dissesse "a gente não tinha falado sobre isso?", porém rio baixinho e me afasto mesmo assim.

Tenho que percorrer alguns corredores, mas finalmente encontro a seção de acessórios para bicicletas, e é lá que acho cadeados. Volto ao caixa e tento escondê-los de Anna.

— Pronto — falo, tirando a mochila do ombro e entregando-a para Anna com o mapa. — Encontre um bolso bem inconveniente para guardar isso, por favor. — Enquanto ela se ocupa com o zíper, tiro o cadeado e a chave da embalagem e guardo

no bolso da frente da minha calça jeans. Depois olho para ela e aviso: – Agora temos um destino.
– Temos?
– Sim. Quero mostrar uma coisa para você.
– Precisa do mapa? – Anna sorri.
Olho para ela e balanço a cabeça.
– Não, não preciso do mapa.

⁓

Talvez eu precise mesmo do mapa. Estamos andando pelas margens do rio há cerca de quarenta minutos, mas, até agora, não vi a sinalização que indica o que procuro. Decido passar por mais uma ponte antes de voltar. Então a avisto: uma placa verde-escura com letras brancas anunciando PONT DES ARTS.
A passarela exclusiva para pedestres está mais cheia do que eu imaginava. Há casais sentados nos bancos do meio e pessoas reunidas em grupos junto das grades. Todo mundo parece estar falando francês.
Encontro um lugar perto da grade e me sento. Eu me apoio em um poste, e Anna se senta entre as minhas pernas. Enquanto ela se inclina na direção do meu peito, uma sirene de polícia soa muito alto e depois passa depressa.
– Adoro como até os sons mais comuns lembram que estamos em um lugar diferente – comenta ela.
Ficamos quietos por bastante tempo, observando o rio, até que Anna vira a cabeça e olha para mim.
– Quero muito perguntar uma coisa – diz ela. Devo ter feito uma expressão animadora, porque ela se vira de repente e me encara. – Quando impediu o incêndio, você se sentiu do mesmo jeito de quando mudamos as coisas com Emma?

A pergunta me pega de surpresa e a minha reação é fugir do assunto.

— Não impedi o incêndio. Mudei algumas coisas relacionadas a isso. Faz bastante diferença.

Mas Anna apenas olha para mim, esperando uma resposta.

Eu a encaro, lembrando que fiquei sentado no meu quarto naquela noite, imaginando a expressão de Anna ao ver Emma inteira pela primeira vez.

— Antes, durante ou depois? — pergunto.

— Todas as alternativas.

Ela segura a barra da minha camiseta e brinca com o tecido, deslizando o dedo ao longo da bainha.

Começo a repetir as coisas que digo quando não quero me expor, e uso palavras simples como "bem" e "bom", ditas com facilidade. Mas, em vez de continuar com isso, me inclino na direção dela como se estivesse preparado para contar tudo.

— Antes? Tive medo — revelo sem rodeios. — Quando você me pediu para voltar e ajudar Emma, não pensei que pudesse fazer alguma coisa depois de tantos dias, e mesmo que pudesse, não fazia ideia se daria certo. Podia ter acontecido qualquer coisa. Podíamos ter sido mandados de volta imediatamente. Ou podíamos ter mudado a sequência dos eventos, mas o acidente de carro talvez tivesse acontecido algumas horas mais tarde, mesmo assim. A quantidade de coisas que podia ter dado errado era... — Faço uma pausa e balanço a cabeça. — Achei que Emma seria a primeira e última vez que eu faria alguma coisa desse tipo. Mas, quando ouvi o que tinha acontecido com aquelas crianças, quis tentar de novo. Quer dizer, se eu tinha conseguido voltar dois dias, por que não três? E, se desse *certo*, se eu conseguisse *mudar* aquela história... Mas estaria mentindo se dissesse que não fiquei apavorado o tempo todo.

Anna não diz nada, apenas desenha círculos na palma da minha mão, como fez no quintal de Emma na noite passada. Acho que isso significa que devo continuar falando.

— Durante? Não pensei em mais nada. Só torci para que desse certo. — Eu me lembro das fotos que vi na parede do apartamento 3C. — E depois... — Faço uma pausa. Não sei o que dizer sobre o depois.

Após instalar o detector de fumaça e voltar para casa, esperei para ver o jornal e descobri que havia funcionado. Meu pai ficou chocado e orgulhoso ao mesmo tempo, como se eu tivesse marcado um ponto inexplicável durante um jogo de beisebol muito apertado, um ponto decisivo no último minuto.

— Depois — repito — foi como estar dentro de um daqueles livros interativos em que escolhemos a aventura que queremos viver, e eu havia escolhido um final diferente. As duas crianças estavam vivas e seguras, e eu sabia que não deveriam estar. E foi... estranho... saber que elas haviam morrido.

Anna leva minha mão aos lábios e dá um beijo.

— E os efeitos colaterais?

— Nenhum — sussurro. — Nada de enxaqueca. Nem desidratação. Nenhum efeito colateral. Eu me sentia capaz de dar a volta no quarteirão correndo.

Mais um barco de turismo passa, e paramos para ouvir o guia falando sobre os fatos interessantes relacionados àquela ponte, coisas que estamos escutando pela segunda vez.

— Você acha... — começa Anna, mas para quando um grupo de crianças vestindo o uniforme de um time de futebol passa por nós. — Acha possível que as mudanças não sejam uma coisa tão ruim?

Balanço a cabeça.

– Como assim? Você acha que *eu devo* mudar as coisas? De jeito nenhum. Fiz isso uma vez por você. E acho que a segunda vez foi por meu pai. Mas foram *escolhas*, fatos isolados. Não estou em uma missão para impedir as tragédias do mundo. Além do mais, ainda não sei se existem ramificações, ou não. – Nem consigo falar em voz alta, mas ainda questiono se as pessoas que tiveram a vida alterada por mim sofrem por seus passados modificados. Será que Emma sabe, em algum nível inconsciente, que sofreu um grave acidente de carro? E aquelas duas crianças... Nem consigo pensar sobre isso. – Olhe, nada mudou. Sou apenas um observador. Não devo alterar o futuro.

– Não estou dizendo que *deve*, só quis dizer que foi bom quando você mudou o passado. Emma e Justin estão bem, não é? Nada de horrível aconteceu com eles, apenas... tiveram uma segunda chance. E, por sua causa, aquelas crianças também.

Olho para além dela, fixando-me no rio. Segunda chance. Gosto dessa ideia. Não que isso importe, porque nunca mais vou repetir.

– Ei – digo, e me inclino para trás para pôr a mão no bolso da frente da calça –, quase esqueci por que trouxe você aqui.

Ela olha para mim com um sorriso curioso. Abro sua mão e coloco o cadeado ali. Anna desvia os olhos dos meus e observa o objeto.

– Por que me deu um cadeado?

A luz do sol reflete na superfície do metal quando ela vira o cadeado de um lado para outro, examinando-o de todos os ângulos, como se fazendo isso pudesse encontrar uma resposta.

– Eu provavelmente não deveria contar isso para você, porque envolve alguns detalhes do futuro, mas ouvi essa história e achei legal. – Respiro fundo e me acomodo melhor. – Ninguém sabe exatamente quando começou, mas, no fim de 2009, todas as grades desta ponte estarão cobertas de cadeados. Casais do mundo todo que vieram a Paris começaram a escrever os nomes neles, prendê-los à ponte e jogar a chave no rio como um símbolo... – não consigo interpretar a expressão de Anna, e de repente percebo que devo parecer ridículo – ... tipo, do que eles... Ah, deixa para lá. – Tento pegar o cadeado, mas ela fecha a mão.

– Pare. Você não vai pegar nosso cadeado de volta.

– Vou, sim. – Tento de novo, mas ela ri e esconde a mão atrás das costas.

E me encara nos olhos.

– Continue falando.

– Não. Ouvi essa história e achei um pouco romântica, mas falando em voz alta parece brega.

– Não parece, não. – Eu me apoio no poste. Quando ela percebe que não vou tentar pegar o cadeado, ela mostra a mão aberta. – Adorei.

– Ah, é?

– É. – Ela vira o cadeado na mão outra vez, como se o admirasse. – Não temos com o que escrever.

Eu me inclino para trás e pego uma caneta Sharpie no bolso da calça jeans. Quando entrego a ela, Anna ri.

– Típico. Segure aqui. – Ela me entrega o cadeado. – Você escreve. A ideia foi sua, afinal.

Balanço a cabeça. Estamos em 1995, no mundo dela, e isso é uma coisa que ela deve fazer. Quando uso esse argumento, Anna tira a tampa da caneta e aproxima a ponta do metal.

– O que eu escrevo?

– O que você quiser.

Ela pensa um pouco e anota ANNA ♥ BENNETT.

– Não é muito inspirado, né?

Anna para e observa o rio como se tentasse decidir como terminar o que havia começado. Depois aproxima a caneta do cadeado novamente e escreve '95/'12. E olha para sua anotação.

– Gostei – falo. – Agora é brega *e* misterioso.

– Ohm. Assim como a gente.

– Ah, não é nada parecido com a gente. Nem somos tão misteriosos.

Entrego a chave a ela, que a insere na fechadura. A trava se solta com um estalido baixo, e Anna prende o cadeado na corrente da ponte, fechando-o em seguida. Enquanto passa o dedo pela superfície, deixa escapar um risinho.

– Não seria engraçado se fôssemos nós os responsáveis por começar toda essa história com os cadeados?

– Talvez seja mesmo a gente.

– Acho legal.

Não tenho coragem de dizer a ela que em 2010 todos os cadeados serão removidos. Nem que em 2011 voltarão a aparecer, e em 2012, mais uma vez haverá poucos espaços vazios na grade. Podem acabar arrancando nosso cadeado. Só voltaremos aqui juntos em 1998, 2008 e 2018, e o substituiremos sempre que for removido. Olho para a chave na mão de Anna, perguntando-me se é realista pensar que ainda estaremos juntos daqui a alguns anos, vivendo desse jeito.

Nunca sequer havia pedido isso para minha vida, mas agora tudo que quero é que essa pessoa que me entende completamente faça parte do meu presente e futuro. Desde que eu não pense na logística, parece possível.

Anna me beija. Depois, nós dois beijamos a chave. E ela a joga no rio.

17

Anna e eu passamos o resto da tarde passeando. Sem um destino em mente, mudamos de direção quando temos vontade e paramos sempre que queremos, entrando nas lojas que consideramos interessantes. Passamos nas que vendem discos para comprar CDs que custariam uma fortuna nos Estados Unidos. E escolhemos alguns cartões-postais.

Paramos em uma padaria para comprar uma *baguette*. Depois, sem discutir a escolha, decidimos passar por um portão de ferro e entrar em um parque. O lugar está movimentado, e pessoas passam correndo ou patinando pelo caminho que estamos percorrendo. Anna me surpreende ao me afastar da calçada e me levar para trás de algumas árvores para me beijar.

Tem um jogo de futebol acontecendo, e nos sentamos na grama para assistir. Tudo acontece em uma ação ininterrupta, mas nós dois temos dificuldade para desviar os olhos de um jogador de camiseta verde-claro. É o mais baixo em campo e *muito* veloz. É divertido observá-lo. Ele fica muito sério antes de chutar a bola, depois levanta os braços e grita vitorioso, mesmo errando o chute.

Meia hora mais tarde, ainda estamos distraídos com o jogo, que está empatado em dois a dois. O cara de camiseta verde chuta a bola e corre para o gol. Sozinho, abre os braços e se prepara para receber a bola, que está voltando na direção dele. Mas, quando está prestes a chutar, outro jogador se aproxima correndo. Os dois se chocam com violência, e o cara de camiseta verde cai, agarrando a própria perna. Todo mundo se aglomera em volta dele, e não dá para ver o que está acontecendo.

Alguns minutos depois, ele sai do meio do grupo amparado por dois companheiros do time, um braço apoiado no ombro de cada um. A agonia está expressa em seu rosto, e ele pula em uma perna só até o banco mais próximo. Lá, se senta e apoia o rosto nas mãos enquanto alguém tira seus tênis.

– Será que quebrou? – pergunta Anna.

– Foi uma trombada bem forte. – É só o que consigo responder.

– Bennett... – diz ela baixinho.

Olho para Anna.

– O que foi?

Seus olhos continuam fixos no homem de camiseta verde, e sua expressão é bem estranha.

– E se você desse uma segunda chance a ele?

Balanço a cabeça. Com força.

Ela olha para mim.

– Podia ser um teste. Para descobrir se os efeitos colaterais vão aparecer ou não. E se surgirem, eu posso te ajudar.

É uma ideia ridícula. Nem sei que horas são nem há quanto tempo estamos aqui, mas tenho certeza de que estamos expostos, visíveis para todo mundo. Precisaríamos de um lugar seguro para onde voltar sem que ninguém nos visse. E não temos nenhum. Então me lembro da hora em que Anna me puxou para trás das árvores para me beijar.

– Tinha um relógio na padaria – diz ela. – Eram duas e dez. Entramos no parque, andamos um pouco e nos sentamos aqui. Deviam ser duas e meia? – Ela fala depressa, com os pensamentos acelerados, e vai ficando muito animada. Antes que eu possa dizer alguma coisa, ela se levanta, vai até a calçada e volta menos de um minuto depois. – São três e cinco agora – anuncia.

Olho de novo para o homem de camiseta verde. O rosto dele está contorcido, a perna, esticada diante do corpo. Ainda não consigo saber se é caso de fratura ou não, mas ele está sentindo muita dor. Penso em tudo o que Anna acabou de falar e, num impulso, seguro a mão dela e a levo para trás das árvores.

– Isso é loucura – comento.

Ela se vira na minha direção. Quando estivemos aqui pela última vez? Às duas e vinte? Às duas e vinte e três? Não consigo ter certeza, mas preciso confirmar. Do contrário, Anna e Bennett naquele ponto da linha do tempo desaparecerão no meio da rua, ou na entrada do parque, ou talvez na fila da padaria.

Penso em cada passo que demos, depois seguro as mãos dela e fecho os olhos. Quando os abro, estamos a poucos metros de onde saímos, de volta à calçada, à vista de todos. Corremos de volta para trás das árvores e ficamos ali escondidos por alguns minutos, até eu ter certeza de que ninguém nos viu.

Nós nos apressamos de volta para onde está rolando o jogo de futebol e nos sentamos no mesmo lugar, assistindo ao mesmo jogo. O cara de camiseta verde-clara está bem, correndo na direção da bola, chutando com força, levantando os braços com alegria a cada tentativa. Dessa vez, Anna está sentada mais perto de mim, de pernas cruzadas, sendo que uma está apoiada em cima da minha. Ela aperta minha mão com mais força e elaboramos um plano.

O placar está dois a dois, e estão todos posicionados, prestes a fazer a última jogada. Antes que a bola seja lançada, Anna olha para mim, se levanta e corre para a beirada do campo perto do gol. Então acontece a mesma jogada: jogador chuta e corre, mas, dessa vez, quando se prepara para levantar os braços, Anna grita:

— Pare!

A maioria dos garotos a ignora, mas o cara da camiseta verde se vira e, durante apenas um segundo, olha para ela. Quando ele volta a atenção para o jogo, é tarde demais. O outro jogador pegou a bola e está correndo para o outro gol. Ele chuta com força, faz gol e o jogo acaba. O cara de camiseta verde gesticula na direção de Anna e grita com ela em francês.

Ela volta para perto de mim e, rindo, segura minha mão sem parar de correr. Vemos um banco longe do campo e desabamos sobre ele. Minhas mãos tremem e meu coração está disparado, bate tão depressa que tenho a impressão de que vai pular de dentro do peito.

— Não sei por que deixo você me convencer a fazer essas coisas — comento, ofegante. — Você e Brooke. — Balanço a cabeça. — Vocês duas são muito parecidas. — Eu me viro e olho para ela ali sentada, recuperando o fôlego, sorridente e muito orgulhosa de si mesma, é claro. — E, aliás, você fica linda quando impede tragédias.

Ela segura meu rosto e me beija, apesar de ter muita gente por perto.

Passei todos esses anos tentando não alterar acontecimento algum, e agora, nos sete meses que conheço Anna, já fiz quatro modificações propositais. E nenhuma delas parece ter desequilibrado o universo, ou algo parecido.
— Como se sente? — pergunta ela ao se afastar.
— Bem. — Olho para Anna e sorrio. — Muito bem.

⁓

Quando o sol começa a se pôr, estamos com as pernas bambas de tanto subir escadas e ladeiras, e então paramos na esquina isolada de uma rua sem saída, de mãos dadas, sorrindo um para o outro, descansando.
— Pronta? — pergunto.
— Não. Nem de longe.
Não podemos demorar mais. Digo para ela fechar os olhos e Anna obedece. Antes que eu possa fazer a mesma coisa, observo pela última vez aquela rua parisiense. Depois fecho os olhos.
Quando volto a abri-los, estamos exatamente na mesma posição, no meu quarto na casa de Maggie, e é manhã de sábado. Olho para o relógio. Dez horas.
Quase instantaneamente, Anna resmunga baixinho e leva as mãos à barriga. Ela se senta no chão e puxa os joelhos para o peito. Eu me sento ao lado dela e, apesar de sentir a cabeça latejando e estar com a visão turva, abro a mochila e procuro o pacote de biscoito salgado. Quando o encontro, rasgo a embalagem e dou um para ela. Anna murmura um agradecimento e morde a beirada do biscoito. Depois procuro as garrafas d'água.
Continuamos ali sentados por uns vinte minutos. Eu bebo água e Frappuccino e Anna come pedacinhos de biscoito, tentando não vomitar.

— *Isto* sim é romântico — comenta ela, apoiando a cabeça no meu ombro.

Respondo com uma risada fraca e apoio a cabeça na dela.

Ela finalmente avisa que está forte o bastante para ficar de pé. Mas, quando tento dizer que vou acompanhá-la até em casa, minhas palavras saem emboladas e minhas pernas tremem assim que me levanto. Apoio a mão na cama para me equilibrar. Estou totalmente exausto. Não consigo lembrar a última vez que me senti tão cansado assim.

— Deite-se — insiste Anna, empurrando-me com gentileza para a cama e erguendo minhas pernas. Ela sugere que eu cochile um pouco, e sinto quando ajeita o travesseiro embaixo da minha cabeça. Acho que também tira meus sapatos. — Feche os olhos. — Escuto sua voz baixa e tranquila, e ela se senta na beirada da cama, acariciando minha testa com os polegares.

Não me lembro de mais nada depois disso.

18

As batidas fracas à porta me acordam de um sono profundo. Eu me sento na cama e massageio a cabeça com as mãos. As batidas se repetem, dessa vez mais fortes.

— Entre. — Tenho a impressão de que meus olhos estão grudados, mas me esforço para abri-los quando a porta se abre e Maggie aparece na fresta. Ela parece surpresa ao me ver todo torto e desgrenhado em cima do edredom.

— Desculpe — diz ela. — Não sabia que você estava dormindo. Eu só queria perguntar se vai jantar em casa.

Aperto as têmporas com a ponta dos dedos e dou uma olhada no relógio em cima da mesa de cabeceira. São mesmo seis e doze? Dormi a tarde toda? A última coisa de que me lembro é de Anna me ajudando a deitar. Já faz oito horas? Sério?

— Estou fazendo carne assada. — Maggie sorri ao falar, como se precisasse me convencer. O que não é necessário. Sinto um cheiro delicioso. Estou prestes a dizer que já vou descer, quando ela cruza os braços e fica séria. — Você está bem, Bennett?

Eu me esforço para me sentar e apoiar os pés no chão.

– Estou bem. Só muito cansado.

– Jet lag – observa ela com simplicidade, depois sai e fecha a porta.

Se ao menos ela soubesse que nunca estive em um avião...

Visto uma calça jeans limpa e abro uma gaveta para pegar a camisa. Ainda estou trêmulo e com um pouco de frio, por isso decido vestir uma de flanela.

Lá embaixo, encontro Maggie arrumando a mesa para dois. Ela olha para mim e depois continua dobrando os guardanapos numa forma triangular. Assumo meu antigo papel nesta casa, pegando dois copos no armário e servindo leite.

Maggie e eu nos sentamos educadamente, como se eu fosse uma visita. Tento pensar em assuntos para puxar papo, mas só consigo me lembrar de Anna e do nosso dia em Paris. Bloqueio essas lembranças enquanto como a carne assada, e conto a ela sobre a festa de Emma, mencionando os detalhes do arco de balões e o DJ no quintal. Maggie ri, incentivando-me a continuar, e pergunta sobre as pessoas que conheço na cidade. Depois, quando fazemos uma pausa, ela me encara.

– Parece que você fez muitos amigos em Westlake – diz, sem olhar para mim.

Começo a responder, mas em vez disso fico imóvel. É a primeira vez que ela reconhece que sabe que menti sobre ter estudado da Northwestern no ano passado, mas ela só joga a informação no ar e volta a comer como se não fosse nada importante.

– Minha filha também adorava aquele lugar.

Este seria um ótimo momento para pedir desculpas por ter mentido para ela. Também seria uma ótima oportunidade para dizer que sua filha é minha mãe. Por mais que as duas coisas sejam verdade, sinto-me um pouco enjoado quando penso nelas, por isso ignoro e volto a comer, como se o comentário de Maggie não precisasse de resposta. Mas a voz de Anna ecoa em minha cabeça: *Seria legal ter alguém com quem falar sobre você. Seria bom pelo menos ter uma pessoa de quem não preciso guardar seu segredo.* E isso eu não consigo ignorar.

Meu estômago revira, e o que eu realmente queria fazer nesse momento era sair correndo pela porta dos fundos, passar pela horta de tomates e encontrar um lugar deserto de onde eu pudesse desaparecer. Estaria de volta em São Francisco em menos de um minuto.

Antes de deixar meus pés decidirem os próximos passos, me obrigo a falar:

– Maggie, preciso contar uma coisa.

E é isso. Agora não tenho mais opção. Não tem mais nada de que eu precise contar a ela.

– Tudo bem.

Acho que ela está evitando olhar para mim. Eu, com certeza, estou tentando não olhar para ela.

Empurro o purê de batatas no prato como se as palavras que preciso encontrar estivessem enterradas ali embaixo.

– Não sei como explicar. Tem uma coisa em mim que é... incomum.

Sinto vontade de me encolher quando escuto as palavras que saem da minha boca. Ela está olhando para mim, esperando que eu continue, e de repente considero se não seria melhor demonstrar. Afinal, funcionou com Anna. Afasto a cadeira da mesa e fico de pé perto da bancada.

Suspiro. Lá vamos nós.

Maggie larga o garfo no prato e limpa o rosto com o guardanapo.

– Olhe – continuo, fechando os olhos. Mas, antes de desaparecer, acrescento: – Por favor, não se assuste.

Segundos depois de pensar no meu quarto lá em cima, surjo de pé ali. Ouço o grito de Maggie lá embaixo. Conto até dez, fecho os olhos de novo e volto à cozinha, no mesmo lugar ao lado da bancada. Ela está bem na minha frente e, quando se move, bate com força no meu ombro. Maggie murmura alguma coisa que pode ser um pedido de desculpas, depois se apoia na bancada. Talvez essa não tenha sido a melhor maneira de dar a notícia.

Eu a seguro pelos braços.

– Tudo bem, não é nada de que tenha que ter medo.

Ela me encara, boquiaberta, com os olhos arregalados. Eu a levo até a cadeira, onde ela se senta, apoiando os antebraços na mesa de Fórmica e antes de olhar para seu prato de comida pela metade.

Sento ao lado dela.

– Quero que você saiba quem eu sou, Maggie.

Ela não olha para mim, mas percebo que assente.

– Tem muita coisa que já sabe sobre mim. Meu nome é Bennett. Moro em São Francisco. Acho que sabe que tenho dezessete anos e nunca estudei na Northwestern. Desculpe por ter mentido sobre isso.

Essa história toda parecia muito melhor nos meus pensamentos. Não está saindo como eu queria. Maggie balança a cabeça de novo, mas não sei se ela está entendendo ou se apenas quer que eu continue, porque espera que, em algum momento, eu chegue ao ponto crucial.

– Também tem muita coisa que você não sabe sobre mim. Tipo... que... minha mãe é sua filha. As fotos dela estão espalhadas pela sua casa. – Minhas mãos estão suadas, e as esfrego

na calça jeans antes de prosseguir. Não posso parar agora:
— Não tem muitas fotos do seu neto, porque atualmente ele tem só sete meses. E... — Faço uma pausa para respirar fundo, mas é inútil. Eu devia falar tudo de uma vez logo. — Isso vai parecer muito esquisito, mas... é por esse motivo que seu neto e eu temos o mesmo nome.

Dessa vez ela não balança a cabeça.

— Eu... — Paro. Respiro. Começo de novo. — Sou seu neto e tenho dezessete anos... em 2012. Não em 1995.

Nenhuma reação ainda. Não tenho ideia do que fazer, por isso sigo em frente, por mais que embole todas as palavras.

— Quando eu tinha dez anos... eu, tipo... sem querer... descobri que podia... viajar. Consigo voltar no tempo. Cinco segundos, dez minutos, quatro meses, vários anos... Até o dia em que nasci, em 6 de março de 1995. É o máximo que consigo voltar.

Maggie encolhe os ombros.

— Eu nunca tinha tentado ficar em nenhum lugar do passado, não até a última vez em que estive aqui. Lembra quando eu cheguei, em março... que passei mal?

Ela faz um movimento afirmativo muito sutil.

— Eu não estava doente. Eu só... desaparecia. Tentava ficar aqui, mas era jogado de volta ao meu quarto em 2012. É assim que funciona. Quando tento ultrapassar os limites do que posso fazer, sou jogado de volta para onde pertenço. É como se o tempo avisasse que não estou onde deveria. É a única hora em que perco o controle. E depois sinto dor. Às vezes bastante. Mas, enfim... já me treinei para ficar aqui, acho.

Maggie cobre a boca com a mão, mas continua de costas para mim.

— Só vim aqui porque perdi Brooke, minha irmã. Ela queria ir a um show em Chicago em 1994. Nenhum de nós dois achava que eu ia conseguir, mas funcionou. Deu certo. Mas, alguns minutos depois, *eu* fui jogado de volta para o meu presente, e Brooke ficou. Ela estava presa em 1994. Então vim para cá, para sua casa, em 1995, tentei chegar o mais perto possível dela.

O silêncio que vem em seguida dura por um minuto, mais ou menos.

— Você a encontrou?

É um alívio ouvir a voz baixa e calma de Maggie. Ela está assimilando os fatos, o que deve ser um bom sinal.

— Encontrei. Ela foi jogada de volta para casa depois de alguns meses. E acho que foi por isso que não consegui voltar aqui. Com ela em casa, não consegui ir a lugar nenhum por algum tempo.

Eu me imaginei inúmeras vezes voltando ao mesmo dia, observando Anna na pista de corrida. Começo a contar para Maggie, mas concluo que pode ser mais informação do que ela precisa saber.

Pego um copo d'água, não por estar desidratado, mas porque estou ansioso para ter o que fazer com as mãos. Encho outro copo e o deixo em cima da mesa perto de Maggie. Ela pega a água no mesmo instante.

— Seus pais sabem? — pergunta.

— Eu tinha doze anos quando eles descobriram por acaso.

As mãos dela começam a tremer. Maggie olha para mim.

— Eles sabem que você está aqui agora?

Nego com a cabeça.

— Sabem que estive aqui na primavera passada, mas não que voltei. Brooke sabe, mas meus pais... — Não termino a frase, e Maggie fica olhando para mim, esperando que eu continue. Balanço a cabeça outra vez. — Eles não entenderiam.

Maggie se inclina para a frente. A cor parece ter voltado ao seu rosto.

— Onde eles pensam que você está agora?

— Escalando uma rocha e acampando com meu amigo Sam.

— Sam?

— É, Sam.

— Então você não está... em... São Francisco de 2012 agora?

— Não, quando eu saio, me ausento. Desapareço de lá e surjo aqui. Dessa vez vou ficar fora até sexta à noite. — Apoio os braços na mesa e explico a ela como funciona. Maggie me escuta com atenção e não faz mais perguntas. — Se eu quisesse, poderia voltar a São Francisco agora mesmo e chegar na sexta, cinco minutos antes de sair. E, apesar de ter passado dois dias fora, meus pais nunca ficariam sabendo. Mas, nesse caso, eles viveriam esses dois dias outra vez, o que isso seria horrível para eles. Então eu... bom, digo que vou acampar.

Maggie parece confusa.

— É, acho que é melhor assim mesmo. — Ela bebe mais um gole de água. — Ou você poderia... contar que está vindo para cá?

Dou risada.

— Acho que não daria muito certo. — Largo meu prato no meio da mesa. — Minha mãe quer um filho normal de dezessete anos, alguém que anda de skate, faz provas e se candidata a uma vaga na universidade e que *não* vá escalar montanhas na Tailândia nem visitar a avó em 1995 sempre que quiser.

Ela sorri, finalmente.

— E o seu pai?

— Ele quer que eu use melhor o meu "dom", como chama. Acha que sou especial e que eu deveria consertar tudo o que está errado, reparar coisas, ser um herói. — Pego meu copo e giro a água ali dentro, pensando no incêndio em São Francisco, no que Anna e eu fizemos em Paris e em como, nos últimos dias, comecei a considerar que ele pode ter razão. – Não sei. Até pouco tempo atrás, eu usava essa minha capacidade para o meu próprio proveito. – Não conto que também usei para o bem dela. Maggie não precisa saber o que Brooke e eu vamos fazer daqui a alguns anos, quando o Alzheimer a dominar e começar a controlar sua vida e sua cabeça.

Maggie parece mais tranquila. Ela se remexe na cadeira e pega mais uma vez o copo d'água.

– É bem típico do seu pai.
– Sério?

Ela assente.

– Ele sempre foi meio intenso. Muito mais que sua mãe. – Maggie olha para além de mim, por cima do meu ombro, e, quando me viro para trás a fim de descobrir para o que ela está olhando, me deparo com o vitral na janela em cima da pia que minha mãe fez quando era criança. – Mas ele é um homem bom, acho. Ela ama seu pai, com certeza. – Então volta a olhar para mim, chegando mais perto. – E você... nossa. Passei pouco tempo lá, mas deu para perceber que o mundo deles gira em torno de você e da sua irmã.

– Talvez seja assim agora, mas tudo vai mudar quando ela descobrir que não tem um filho *normal* que ocupa o tempo dela com jogos da Liga Infantil ou peças da escola. – Faço uma pausa em contar para Maggie tudo o que estou pensando. A filha dela vai ficar do meu lado, vai se transformar em uma pessoa esquisita que mente e trama pelas suas costas, tudo para continuar fazendo a única coisa que deseja desesperadamente que o filho pare de fazer.

Maggie suspira e balança a cabeça.

— Aposto que ela acha você impressionante.

Não tenho ideia do que responder, e fico em silêncio por bastante tempo. Por fim, ela olha para mim com um grande sorriso e segura minha mão em cima da mesa.

— Eu vou voltar, no fim das contas. Vou ver o que posso fazer. Agora que sei quem você é, talvez possa usar minhas visitas a São Francisco para ajudar sua mãe a entender o filho um pouco melhor.

Sinto um frio na barriga quando me lembro da foto de nós três no zoológico, em como Maggie nem teria ido naquele fim de semana se Anna não a tivesse convencido. Não sei o que aconteceu antes daquela visita, mas sei o que ocorreu depois. Minha avó nunca mais voltou.

— Acho que não vai dar — respondo. Ela não parece ter entendido o envolvimento de Anna nisso tudo, e não quero estragar sua lembrança dizendo que nunca deveria ter acontecido. — Você nos visitou uma vez, e foi só isso.

— Uma vez?

Ela solta a minha mão, e percebo que fica desanimada. Maggie não diz nada, mas não precisa. Sua expressão diz tudo. *Não pode ser.*

Tenho vontade de lhe contar tudo, mas não posso. Ainda preciso escolher as palavras com cautela e usá-las com moderação, porque, quanto mais ela souber sobre o futuro, maior será o risco de mudá-lo sem perceber. E vai saber o que pode acontecer nesse caso.

— Vocês duas não mantiveram muito contato. Não sei por quê, minha mãe não toca no assunto, mas Brooke e eu nunca conhecemos você. — Eu me atrapalho nas últimas palavras e, imediatamente, me arrependo de ter dito isso, só que já é tarde demais. Maggie me ouviu. *Nunca conhecemos.*

Ela me encara como se quisesse me perguntar algo, mas não soubesse como fazer isso, nem se deveria. Respondo em silêncio. *Você morreu sem nos conhecer.* Eu me lembro nitidamente daquelas últimas semanas. Nunca tinha visto minha mãe chorar, mas no dia em que ela descobriu que a mãe havia morrido, e que estava sozinha nesta casa enorme, ficou histérica. Brooke e eu não sabíamos o que fazer, por isso nos escondemos no quarto dela e ficamos lá abraçados, chorando juntos, sem entender realmente o porquê. No dia seguinte, meus pais pegaram um avião, mas não podiam pagar passagens para mim e minha irmã. Além do mais, explicaram, éramos novos demais para ir a um funeral. Eu tinha oito anos. Ainda não sabia do que era capaz, pois, se soubesse, tudo poderia ter sido diferente.

Maggie deixa o olhar vagar pela cozinha antes de fixá-lo na mesa.

– Nós duas somos tão teimosas assim? – pergunta a si mesma, e noto a incredulidade em sua voz. Devagar, levanta a cabeça e me encara. – Mas, agora que sei, posso mudar isso. Posso me esforçar, melhorar as coisas. Certo?

Comprimo os lábios e nego com a cabeça.

– Não pode mudar nada, Maggie. Você não fazia parte da nossa vida naquela primeira vez, e não pode fazer parte agora. Não dá para saber o que poderia acontecer, se fosse diferente.

Ela me olha de forma obstinada, como se considerasse a ideia de mudar tudo, mesmo assim.

– Você tem que me prometer que não vai mais voltar lá.

Ela respira fundo e olha nos meus olhos.

– Não sei se posso fazer essa promessa, Bennett.

Não tenho escolha a não ser fazer um ultimato.

– Nesse caso, vou voltar ao momento em que você entrou no meu quarto essa noite. Aquele Bennett, o que era trinta minutos *mais jovem* que eu, vai desaparecer assim que eu voltar, e vou pegar o lugar dele. Vou descer e teremos uma ótima conversa enquanto comemos esse jantar delicioso. Depois vou me levantar da mesa, ajudar com os pratos, e todo esse papo que estamos tendo agora nunca terá acontecido.

Ela apoia os cotovelos na mesa e tapa o rosto com as mãos. Ficamos assim por bastante tempo, Maggie pensando no futuro, eu me sentindo horrível e impotente porque estamos presos nessa situação.

– Tudo bem – concorda ela com a voz trêmula. – Não vou voltar lá. – De repente, ela se encosta na cadeira e cruza os braços. – Você comentou antes que sente dor com essas viagens. O que quis dizer com isso?

Fico surpreso com a pergunta, mas grato com a mudança de assunto.

– Não dói quando viajo *para* outro lugar, como quando venho de casa para cá, por exemplo, e sim quando volto. Tenho enxaquecas horríveis e fico completamente desidratado. Bebo café, porque a cafeína alivia a dor de cabeça, e bastante água para superar a desidratação. Depois de meia hora, mais ou menos, tudo passa.

– Então você teve dor de cabeça quando voltou hoje... de onde estava?

Nego com a cabeça.

– Só tenho esses efeitos colaterais fortes quando... saio da linha do tempo, vamos dizer assim. Agora há pouco fui lá em cima, contei até dez e voltei. Eu costumava ter um pouco de dor de cabeça quando fazia esses pequenos deslocamentos, só que isso não acontece mais.

Maggie assente e parece que está me entendendo. Mas em seguida ela se inclina para mim, e vejo em sua testa uma ruga de confusão e preocupação.

– Não entendo. Se dói, por que você faz isso?

Penso em todos os lugares em que estive, em todas as coisas que eu nunca teria visto e nas experiências que jamais teria vivido, se deixasse vinte ou trinta minutos de dor me impedirem de viajar. Mas depois olho para ela e acho que não é a isso que está se referindo. Tenho a impressão de que quer saber por que eu volto aqui.

Meus olhos percorrem a cozinha de Maggie até se fixarem no vitral que minha mãe fez. Eu me lembro das fotos da minha família nas paredes da sala e nos corredores e em como todos nós parecemos felizes. Penso em como abri a porta da casa na sexta passada, entrei e senti aquele peso invisível ser removido dos meus ombros.

– Eu me sinto em casa aqui – respondo. Vejo as lágrimas brotarem nos olhos de Maggie.

O telefone toca e ela se levanta. Fico aliviado por ter alguns segundos de solidão para recuperar o fôlego. Depois de atender a ligação, minha avó olha para mim.

– Sim, ele está aqui.

Ela volta à mesa e me entrega o telefone sem fio.

– Alô?

– Sou eu.

No segundo em que ouço a voz de Anna, meu corpo inteiro relaxa.

– Oi. – Eu a escuto sorrir do outro lado da linha.

– É legal falar com você pelo telefone – sussurra ela. – Acho que eu nunca tinha feito isso.

– Como é a minha voz?

Depois de um ou dois segundos de silêncio, ela responde:

– Próxima.

Sorrio, mas não falo nada.

– Então – continua Anna –, Emma e eu vamos ao cinema. Queríamos saber se você e Justin querem ir.

Olho para Maggie e a encontro andando pela cozinha, recolhendo panelas e enchendo a pia com água quente.

– Espere aí – falo antes de tapar o fone com a mão. – Você se importa se eu for ao cinema?

– Claro que não.

Por mais que a gente esteja no meio de uma conversa muito importante, Maggie parece realmente não se importar.

Volto a falar com Anna:

– Está bem. Qual é o filme? – Não que isso faça diferença.

– Emma quer ver a pré-estreia de *Império dos discos*, *uma loja muito louca*. Nunca ouvi falar. Você já?

As palavras "clássico cult" quase escapam da minha boca, mas me contenho.

– É, ouvi falar que é bom.

– Ótimo. A gente busca você em vinte minutos.

Desligo e devolvo o telefone à sua base na parede. Quando pego meu prato para tirá-lo da mesa, Maggie dá um tapa na minha mão.

– Deixe disso. Eu cuido da louça. Pode ir.

– Tem certeza?

As mãos dela ainda tremem um pouco.

– Absoluta. – Ela se vira de costas para mim e continua levando o resto da louça para a pia. Abre a torneira, e estou quase saindo da cozinha quando ela a fecha e chama: – Bennett?

Olho para trás, enquanto ela enxuga as mãos no avental. Maggie atravessa a cozinha e me surpreende com um abraço.

– Obrigada. Fico feliz que tenha me contado.

Fecho os olhos e retribuo seu abraço. Quando ela faz carinho nas minhas costas, retribuo o carinho, só que com mais força.

Passei todos esses anos escondido, ajudando-a em segredo e sempre de longe, e sinto um grande alívio por não ter que continuar assim. Ela sabe quem sou. E de repente me dou conta de que estou abraçando minha avó pela primeira vez. Meu abraço fica mais apertado, do mesmo jeito que o dela.

— Estou feliz por poder conhecer você agora — diz Maggie.

Minha resposta sai um pouco embargada:

— Eu também.

Minha avó respira fundo e dá um tapa nas minhas costas.

— Bom, mocinho, você tem um encontro. — Ela se afasta de mim, mas para depois de dar dois passos. — Bennett? — Seu tom de voz é cauteloso, curioso, e as rugas em sua testa se aprofundam. — Há quanto tempo Anna sabe?

Fecho os olhos, lembrando-me do dia em que estava na cozinha da casa de Anna e mostrei a ela o que conseguia fazer. Deixo as lembranças me levarem ainda mais longe, até o dia em que ela me entregou aquela carta no parque.

Abro os olhos sentindo essa tremenda sensação de alívio e lentamente abro um sorriso.

— Anna sabe desde o começo.

19

Anna e eu passamos a maior parte do domingo no meu quarto, ouvindo música e conversando sobre a próxima vez que eu vier, daqui a três semanas. Terá a festa de volta às aulas. Anna me conta que finalmente vou poder vê-la usando o vestido que comprou para uma festa em maio passado e me lembra de que preciso chegar a tempo de pegar um smoking.

O quarto está ficando escuro, e quando olho para o relógio e aviso que preciso ir embora tenho uma sensação de vazio. Depois sinto culpa por me sentir desse jeito em relação à minha casa.

– Tenho uma coisa para você. – Anna atravessa o quarto para acender a luz. Depois tira alguma coisa da bolsa e esconde atrás das costas. – Escolhe a mão.

Aponto para o lado direito, ela abre essa mão, que está vazia, e a esconde de novo. Deve ter trocado o objeto de mão, porque escolho o lado esquerdo e ela me mostra a outra mão, também vazia. Anna olha para mim com um sorriso malicioso, e, num impulso, eu a seguro pelos pulsos e a beijo, enquanto ela se contorce em meus braços e ri, tentando manter fora do meu alcance o que tem na mão.

– Está bem! – diz ela, rindo, e me afasta. – Tome.

E me entrega um álbum com desenhos geométricos e a palavra FOTOS na capa.

Eu o viro nas mãos, e Anna sorri orgulhosa ao abrir para mim. A primeira foto é de nós dois no alto da Torre Eiffel. Os braços dela enlaçam minha cintura, e o céu noturno de Paris serve de fundo. Estamos sorrindo para a câmera como se não preferíssemos estar em nenhum outro lugar no mundo.

Vou passando as páginas, olhando para as fotos que tiramos em Paris naquela noite e no dia seguinte. Eu na frente da Fontaine du Cirque. Anna diante dos portões de ferro do parque, segurando uma *baguette* como se fosse um taco de beisebol. Eu na base da escultura *O pensador*, imitando a pose. Ela na ponte, perto do nosso cadeado. Nossa, isso tudo foi ontem? Olho as fotos e me sinto grato por ter um dom que me permite levá-la a Paris em um instante. Sinto a mesma gratidão por esse mesmo dom me permitir passar mais um dia inteiro com ela.

– Isso é incrível – falo ao virar as últimas páginas plastificadas.

Até que chego à última foto, que não é da nossa viagem a Paris ontem, mas me lembro nitidamente da noite em que a tiramos. Ela havia acabado de voltar de La Paz. Estávamos deitados no tapete no quarto dela, e ela levantou o braço, segurando a câmera nova. Beijou minha bochecha quando o obturador fez barulho. Observo minha expressão. Pareço feliz.

– Adorei.

Olho para a foto, depois me volto para ela. Acho que eu devia dizer que vai ser muito bom ter alguma coisa para olhar quando estiver em casa com saudade dela, porque tenho certeza de que é isso que ela quer ouvir, mas a verdade é que, quando estiver dezessete anos longe dela sem querer, olhar essas fotos é a última coisa que terei vontade de fazer. Mas é provável que eu faça, mesmo assim.

– Olhe. – Ela dá um tapinha na capa do álbum. – Agora você tem alguma coisa para mostrar à sua família. – Seu sorriso é meigo e esperançoso, mas são as palavras que me trazem de volta à realidade. – Como nunca vou poder ir com você e conhecer todo mundo, pensei que você poderia mostrar essas fotos, pelo menos. – Ela ri. – Sabe, para que não pensem que sou fruto da sua imaginação, ou algo assim.

Sinto um embrulho no estômago.

Ela espera minha resposta e, quando não falo nada, continua:

– Montei um álbum para mim também, mas vou ter que esconder dos *meus* pais, é claro. Consegui convencer os dois de que as marcações no meu mapa são só lugares que tenho vontade de conhecer, mas não sei como explicaria uma foto e nós dois no topo da Torre Eiffel.

Olho para as fotos em minhas mãos, lembrando-me do nosso fim de semana, de conversar com ela embaixo das árvores na festa de aniversário de Emma, da sua expressão de expectativa quando segurei suas mãos e disse para fechar os olhos, e do fascínio que vi quando ela os abriu. Dormir com ela em Paris. Acordar com ela em Paris.

Guardo o álbum de fotos na mochila, evitando encará-la.

– Boa ideia. – Será que ela ouviu a culpa em minha voz? Eu queria que ela não tivesse tocado nesse assunto agora, quando faltam minutos para eu ir embora e passar mais três semanas sem vê-la. – Falando em pais, é melhor eu ir. – Fecho o zíper da minha mochila e a coloco nos ombros. Anna fica olhando para o chão. Eu me aproximo dela e acaricio seus braços. — Você vai ficar bem?

Ela assente sem olhar para mim. Seguro seu queixo e ergo sua cabeça.

— Desça e converse com Maggie.

Anna fecha os olhos, comprime os lábios com força e concorda com a cabeça.

Forço um sorriso corajoso, mas, por dentro, estou pensando em como daria qualquer coisa para ficar aqui mais um dia, mais uma semana... mais três meses. Essa história de ser forte por alguém é mais difícil do que eu imaginava. Sei que ela também está tentando se conter por mim.

— Volto antes que você imagina — digo, e cerro o maxilar assim que digo essas palavras.

— Eu sei. — Ela inspira e depois suspira. — Esse fim de semana mais incrível de todos.

Anna apoia o rosto no meu peito e me abraça. Ficamos assim por bastante tempo, ouvindo a música ao fundo, tentando ignorar o inevitável.

Do nada, me dou conta: vai ser assim durante o próximo ano. Durante algumas semanas, é *isso* que vou sentir quando me despedir dela. Pior, a cada três semanas, enquanto estivermos juntos, é assim que vai ser. Esse será o sentimento. Será que vamos nos acostumar?

Afasto esses pensamentos enquanto beijo o cabelo e o rosto de Anna, agora molhado e salgado. Beijo sua testa, depois os lábios. Requer um esforço enorme soltá-la e dar um passo para trás, mas consigo fazer isso.

Então fecho os olhos e desapareço.

setembro de 2012

20

são francisco, califórnia

Minha testa bate em alguma coisa dura, e me esforço para abrir os olhos. Quando consigo, deparo com a logo do jipe no volante. Está tudo embaçado, o interior do carro gira, e meus braços parecem pesados como se houvesse cargas presas aos meus pulsos. Uso toda a minha energia para pôr as mãos no volante, mas, quando sinto o couro, agarro com força e empurro para trás, jogando meu corpo no encosto do banco.

Deixo escapar um gemido.

Meus olhos se fecham sozinhos, e fico ali sentado naquela garagem escura e fedida, inspirando e expirando, tentando não pensar que está doendo mais que o normal. Então sinto uma coceira, alguma coisa morna escorrendo pelo meu lábio superior. Passo a língua e minha boca é invadida pelo inconfundível gosto de sangue, um sabor metálico que acompanha uma sensação pegajosa. Limpo o nariz com as costas da mão, que sai vermelha de sangue.

Viro o retrovisor para enxergar meu rosto. Que droga é essa?

A caixa de suprimentos é inútil nessa situação, mas eu não podia imaginar que ia precisar de lenço de papel. Meu nariz nunca tinha sangrado. Uso a barra da camisa para conter meu nariz, e alguns minutos depois o sangramento para.

Vejo os raios de sol vespertino entrando pelas frestas laterais da porta da garagem. Bebo meu Doubleshot de uma vez só e depois tomo todo o Red Bull e duas garrafas d'água. Fico muito tempo ali sentado, de olhos fechados, querendo que a dor pare. Dou uma olhada no retrovisor. Meu rosto está vermelho e manchado, os olhos estão injetados. Depois olho para o relógio do painel. Faz quase uma hora que voltei.

Finalmente, quando minha cabeça para de latejar, uso o controle remoto para abrir o portão da garagem. Viro a chave na ignição e saio daquele espaço apertado.

Antes de fechar o portão, viro-me no banco. Olho para trás e não consigo conter o riso. Se alguma vez me permiti acreditar que meu dom fazia de mim algum tipo de super-herói, o que vejo agora com certeza me obriga a encarar a realidade. Meu esconderijo secreto não é uma caverna subterrânea nem uma construção de gelo no ártico. É uma garagem. Uma garagem escura e fedida em que um carro de porte médio e uma pessoa do meu tamanho quase não cabem ao mesmo tempo. E, exatamente como eu esperava que fosse, é perfeita.

Felizmente, a casa está em silêncio e entro me esgueirando, passo pela porta da cozinha e subo para o meu quarto, torcendo para chegar lá antes que minha mãe note as manchas de sangue na barra da minha camisa. Tiro a roupa e escondo as peças sujas no fundo do cesto dentro do meu closet, depois visto um moletom limpo. No banheiro, uso uma esponja para lavar o rosto com força.

Já no meu quarto, abro o zíper da mochila e pego o álbum de fotos que Anna fez para mim. Seguro-o nas mãos, observando os desenhos coloridos da capa. Estou prestes a abri-lo, mas não consigo. Ainda não.

Abro a gaveta da escrivaninha e encontro meu caderno vermelho ao fundo. Guardo o álbum lá dentro com todo o resto das coisas e fecho a gaveta.

Estou descendo a escada quando olho por cima do corrimão e encontro meus pais na porta da frente. Meu pai põe o paletó sobre os ombros, se olha no espelho do hall e ajeita os óculos. Depois pega a bolsa da minha mãe em cima da mesa e a entrega para ela, que agradece e pendura a alça no ombro.

– Ei – chamo.

Os dois erguem os olhos ao mesmo tempo. Minha mãe sorri.

– Ah, que bom, você voltou. Nem ouvi você chegar. – Ela me encontra na base da escada. – Como foi a viagem? – pergunta enquanto me dá dois beijos no rosto. – Você e seus amigos se divertiram?

Ignoro a pergunta e mudo de assunto, comentando o óbvio.

– Vão sair?

– Nós nos demos conta de que faz semanas que não vamos juntos a um bom restaurante – responde meu pai, que está atrás da minha mãe, acariciando os braços dela.

– Quer ir também? – convida minha mãe. – Está com tanto dever de casa que quase não vemos mais você desde que suas aulas voltaram. – A expressão dela é sincera, mas meu pai continua parado e quieto, olhando para a esposa como se não fizesse ideia do que levou minha mãe a me convidar a ir com eles ao "bom restaurante". De trás dos ombros dela, ele me encara e balança a cabeça, caso eu não saiba qual resposta dar.

Talvez pela primeira vez, olho para os dois por outro ponto de vista. Penso nos comentários que Maggie fez ontem à noite, sobre como meu pai sempre foi mais intenso que minha mãe, mas que ela o amava. Sobre como o mundo deles girava em torno de mim e de Brooke. Mais que tudo, eu queria poder conversar com minha mãe sobre Maggie. Toda vez que tentei falar com ela sobre os três meses que passei lá, minha mãe me interrompeu e disse que não queria ouvir. Acho que não é falta de interesse, e sim o fato de não conseguir lidar com a culpa que sente.

– Quer ir? – repete minha mãe.

– Não, obrigado – respondo, e meu pai concorda, agradecido. – Divirtam-se.

Quando segura a mão da minha mãe e a conduz para fora, para a varanda, ele cochicha alguma coisa. Ela está rindo quando a porta se fecha.

Depois que eles saem, fico parado diante da escada por um bom tempo, observando a enorme janela panorâmica de onde dá para ver a baía e pensando no que posso fazer. Tamborilo os dedos no corrimão da escada e penso na semana que está por vir. Amanhã tem prova de física, e na terça vou fazer uma entrevista com a organização de monitoria para a qual Sam trabalha. Eu devia começar a estudar.

Volto para o meu quarto, mas, quando estou prestes a colocar uma música e pegar os livros, tenho outra ideia. Abro a maior gaveta da escrivaninha e pego o álbum de fotos no fundo. Depois encontro minha mochila e desço para procurar o skate.

O sol está começando a se pôr quando chego ao parque, e fico aliviado ao descobrir que o lugar está relativamente vazio. Ainda faz calor. Olho para o horizonte e para a baía de São Francisco, azul-clara e cheia de barcos a vela. Eu me sento no banco, pego o álbum da mochila e viro as páginas. Desta vez Anna está aqui comigo.

outubro de 2012

21

são francisco, califórnia

Confiro a agenda do meu celular e conto os dias que se passaram desde a minha última viagem. Imagino Anna fazendo alguma coisa parecida, riscando um x no quadrado de hoje no calendário que ela tem na parede antes de ir para o colégio. Estamos cada vez mais próximos do dia marcado com "Baile de Volta às Aulas". Mais três quadradinhos vazios. Mais três dias.

Eu devia estar escrevendo um trabalho sobre a Dinastia Zhou para a aula avançada de Civilizações do Mundo, em vez disso, estou observando as abas de cima do navegador: DINASTIA ZHOU, WIKIPEDIA, CIVILIZAÇÃO MUNDO/FONTES ON-LINE DOS ALUNOS, PANDORA.

Clico em Pandora e mudo a estação algumas vezes antes de escolher "Alternativa Anos 1990". Sem pensar, abro uma nova janela do navegador e um site de notícias aparece. Leio as reportagens sobre a eleição presidencial que se aproxima e assisto ao vídeo mais popular de hoje no YouTube.

Clico na aba Notícias Locais e dou uma olhada na página, lendo as manchetes: IDENTIFICADAS AS VÍTIMAS DE ACIDENTE com avião de pequeno porte; homem preso por incêndio criminoso; baleada do lado de fora do mercado; corpo de adolescente de dezesseis anos que fugiu de casa é encontrado na praia. A lista de tragédias e quase tragédias daquela área nas últimas vinte e quatro horas é interminável.

Estou prestes a fechar aquela página e voltar ao trabalho quando uma reportagem no fim da página chama a minha atenção: pai e filha mortos por motorista adolescente.

Clico no link e surge a foto de uma bicicleta azul-clara toda retorcida na sarjeta. Leio a matéria:

> 19h34. *Um motorista de dezessete anos atropelou uma família que andava de bicicleta pouco depois das 15h30 de hoje. O adolescente perdeu o controle da caminhonete que dirigia e bateu em um hidrante antes de atropelar um homem e suas duas filhas, matando o homem e uma das meninas, e deixando a outra ferida. O motorista, liberado do hospital com ferimentos leves, foi preso imediatamente sob suspeita de homicídio culposo.*

Digo a mim mesmo para fechar a janela, mas continuo lendo.

A identidade das vítimas ainda não foi revelada, mas, segundo a polícia, os ciclistas eram um homem e suas filhas de nove e doze anos. O homem e a menina mais nova foram declarados mortos no local. A garota de doze anos foi levada ao hospital com ferimentos leves. O pai buscava as filhas na escola todos os dias e voltava para casa pedalando com elas para garantir a segurança das duas.

Fico abalado com essa história, mas são as fotos que me deixam mais chocado. Além da bicicleta azul-clara, há a foto do prédio onde o carro acabou parando. O reboco está espalhado pelo chão, e a estrutura, exposta.

Olho para a tela e penso no motorista, em como um pequeno erro, algo que aconteceu em uma fração de segundo, mudou toda a vida dele. O garoto tem apenas dezessete anos, mas hoje seu futuro sofreu uma freada repentina. Mesmo que ele pegue uma detenção mínima, como vai voltar a ser quem era sabendo que uma menina e a mãe dela estão chorando a perda da irmã e da filha, do pai e do marido? Eu o imagino usando aquele macacão laranja de presidiário, desejando poder refazer tudo, querendo uma segunda chance. E depois de apertar duas teclas, a impressora começa a funcionar. Pego o papel com a tinta ainda úmida e desço.

A porta do escritório do meu pai está encostada, mas mesmo assim bato antes de abrir. Ele está atrás da mesa, trabalhando no computador, e ergue os olhos, encarando-me com uma expressão curiosa quando entro. Não falo nada, só coloco o papel com a notícia diante dele.

— O que é isso?

— Leia.

Ele dá uma lida rápida na matéria e olha para mim.

— Me diga que é uma péssima ideia — peço.

Ele fica quieto por algum tempo, relê a reportagem, depois sorri.

— É mesmo uma péssima ideia.

— Eu sei...

Ele me encara.

— Quer ir comigo? — pergunto.

Encontro a velha mochila do meu pai na prateleira da garagem, onde fica o equipamento de camping da nossa família, e espano a fina camada de poeira acumulada ao longo dos anos. Quando eu era pequeno, usava aquela mochila quase todos os fins de semana. Lembro que parecia grande enquanto eu andava atrás do meu pai durante as caminhadas do grupo dos Lobinhos Escoteiros.

Preparo depressa a mochila para uma aventura completamente diferente, guardando ali dentro duas garrafas d'água em temperatura ambiente que ainda estavam embaladas ao lado da geladeira. Estou prestes a voltar para dentro de casa, quando vejo o skate apoiado à parede do lado oposto e tenho uma ideia. Enfio o skate na minha mochila, deixando uma das beiradas para fora.

De volta ao meu quarto, pego os outros itens essenciais: dinheiro, que enfio nos bolsos da frente das duas mochilas, e uma camiseta limpa, que guardo na parte principal da minha mochila, só por precaução. Quando passo diante do banheiro, pego alguns lenços de papel da caixa em cima da bancada.

Meu pai está andando de um lado para outro no escritório, enquanto limpa as lentes dos óculos na barra da camisa. Entrego uma mochila a ele e fecho a porta ao entrar.

– O que é isso? – pergunta ele, apontando para a minha mochila.

Olho para trás.

– É um skate, pai.

– Obrigado, Bennett. – Ele balança a cabeça. – Por que vai levar um skate?

– Estou seguindo minhas regras. Continuo achando que não devo mudar as coisas deliberadamente, mas andei fazendo algumas... experiências com pequenas alterações. Detalhes pequenos e insignificantes que podem ter um efeito considerável no desfecho da situação. – Dou um sorriso malicioso e aponto para o skate. – Isso aqui é uma distração.

Meu pai parece relativamente tranquilo com a pequena quantidade de informações que dou a ele, por isso estendo as mãos. Ele parece desconfiado ao olhar para elas.

– Já faz algum tempo. Ainda lembra como isso funciona?

Ele assente uma vez. Quando segura as minhas, sinto suas mãos firmes, calejadas e grandes, diferentes das de Anna e Brooke. Por um instante, fico com a impressão de ter dez anos de novo; pequeno, frágil, nada parecido com alguém com um poder.

– Pronto? – pergunto.

Meu pai fecha os olhos sem dizer nada.

Fecho os meus e visualizo a rua sem nome que encontrei na internet, a meio quarteirão de distância do cruzamento onde tudo mudou para quatro pessoas. Rezo em silêncio para ser capaz de consertar tudo para toda essa gente.

– Abra os olhos.

Meu pai faz o que eu digo e depois olha em volta. Dá para perceber que ele está tentando não entrar em pânico.

– Onde estamos?

Aponto o outro lado da rua. Carros passam depressa, e começo a andar naquela direção, falando para o meu pai vir atrás de mim. Quando chegamos, dou uma olhada para além da esquina e observo ao meu redor. Na metade do caminho entre a ruazinha e o cruzamento movimentado, vejo uma escada ampla feita de cimento que leva a um prédio comercial. Eu não tinha visto isso no mapa, mas o detalhe torna o lugar ainda mais perfeito.

Aponto para longe, além do cruzamento, e meu pai segue meu olhar.

— Está vendo o hidrante vermelho no outro quarteirão?

Ele semicerra os olhos.

— Estou.

Conto a ele tudo que li na matéria da internet.

— O carro ficou descontrolado, atingiu aquele hidrante e, alguns segundos depois, atropelou os ciclistas. Mas todos passaram antes por aquele cruzamento, em momentos diferentes, antes do acidente acontecer. Temos cerca de dez minutos antes que os ciclistas cheguem, então, preste atenção no plano.

Meu pai me encara com os olhos arregalados quando descrevo o que tenho em mente. Assim que aviso qual é seu papel na história, ele fala várias vezes "ok" e "entendi". Pode estar um pouco chocado, mas, até pelo que consigo perceber, está compreendendo tudo.

— Esse é o plano? — pergunta meu pai.

— É. — Chego a me preparar para as críticas, ou, na melhor das hipóteses, para os acréscimos.

Mas meu pai apenas sorri e diz:

— Muito bom.

Sorrio de volta.

— Obrigado. Também acho.

Ele faz uma expressão engraçada, como se estivesse prestes a dizer alguma coisa importante, mas, em vez disso, observa a rua por cima do ombro. Um motoqueiro passa em alta velocidade.

– É melhor você ir – diz ele, apontando para o cruzamento. Depois segue na direção oposta.

Com movimentos rápidos, tiro o skate da mochila e o coloco no chão, depois começo a correr enquanto penduro a mochila nos ombros e subo no skate. Dou impulso com um pé e deslizo, jogando o corpo para a frente e para trás, tentando encontrar o equilíbrio. Um minuto depois, chego à escada. Piso na beirada do skate para levantar o outro lado e segurá-lo, antes de subir correndo. Perfeito: o chão é liso e não tem ninguém ali.

Estou deslizando pelo pátio vazio, sentindo o skate sob meus pés e reunindo coragem, quando noto que há uma divisória baixa de cimento do outro lado. Acelero enquanto sigo diretamente para lá. Confiante, faço um *ollie* na base da divisória. Passo por cima com facilidade e aterrisso do outro lado.

Eu me viro e volto em cima do skate para os degraus. Deixo o skate no alto da escada e desço correndo para dar uma olhada na cena. Há outros ciclistas na rua, mas acho que estou vendo os três no outro quarteirão. Pedalam lentamente em fila única e param quando o sinal fica vermelho. Tudo bem, até então.

Volto ao topo da escada, pego meu skate, pulo a divisória, desço até o chão em um 50-50 perfeito e aterrisso sem erro. Estou vendo nitidamente meu pai virando a esquina, bem diante dos ciclistas, e todos se movimentam depressa. Volto correndo para o topo da escada e sigo no skate até o fundo do pátio para conseguir um bom impulso.

Saio em alta velocidade em direção aos degraus, com o vento afastando meu cabelo do rosto. Continuo no skate, atento à divisória de cimento que separa os degraus de algumas árvores. Faço um *ollie* para passar por cima da divisória, equilibro o skate na beirada e desço deslizando, rápido, mas com absoluto controle. E aterrisso, dobrando os joelhos para absorver o choque, e também forço o skate a fazer uma curva acelerada, evitando assim que eu vá parar no meio da rua. E é nesse momento que finjo o acidente.

Deixo o skate escorregar dos meus pés e caio feio no chão. Desabo em cima do ombro e rolo, como já fiz centenas de vezes, mas imagino que tudo isso pareça muito mais dramático para quem não anda de skate. Caso eu não consiga esse efeito, acrescento algumas voltas para dar mais impacto ao tombo.

Levando a perna até o peito, fico deitado no chão, berrando e me contorcendo de dor. Então meu pai, de terno, se aproxima, parecendo um pedestre preocupado.

– Você está bem? – Ele fica repetindo a pergunta, enquanto continuo gritando. E me contorcendo.

Ele pega o celular, e preciso me virar para esconder meu sorriso. Nunca pensei que transformaria uma mudança em um ato heroico, e certamente nunca imaginei que contaria com a ajuda do meu pai nisso.

O ciclista parou perto da calçada. As duas filhas frearam atrás dele e estão me olhando com curiosidade. Dou um gemido exagerado e volto a me debater no chão.

Meu pai precisa gritar para que o escutem em meio ao barulho do trânsito:

– Meu celular está sem sinal e esse garoto precisa de ajuda. Pode chamar uma ambulância?

Não escuto a resposta do homem, mas ele parece procurar alguma coisa no bolso da calça jeans.

Essa encenação brilhante na rua deveria ser meu único foco, mas não suporto ficar sem saber o que está acontecendo.

Olho para além das meninas, para a rua, e noto a caminhonete vindo. Meu pai também está de olho, e tenho certeza de que nós dois prendemos a respiração quando a caminhonete troca de faixa e se aproxima de nós.

Eu me sento para enxergar melhor o que vai acontecer, sem me importar com a possibilidade de estragar minha encenação. Afinal, em uma fração de segundo, ninguém mais vai estar olhando para mim.

A caminhonete passa em alta velocidade para atravessar o cruzamento no sinal verde e, alguns segundos depois, desvia da rua e sobe na calçada. Atinge o hidrante, fazendo-o jorrar água. E não para até bater na parede lateral de um prédio. Vejo o reboco voando para tudo quanto é lado e uma fumaça saindo do capô aberto.

Sei como essa cena vai ser mostrada daqui a algumas horas. Lembro-me claramente da foto do prédio depois da colisão: janelas quebradas, estrutura exposta, reboco na calçada. Mas, quando olho para a garotinha na minha frente, eu me recordo da outra foto na matéria do jornal. Ela continua montada em sua bicicleta azul, que *não* está toda retorcida, e estica o pescoço para tentar ver o que aconteceu no outro quarteirão. De repente, percebe que estou olhando para ela. Desce da bicicleta, baixa o apoio com o pé e se aproxima de mim.

Ela se agacha ao meu lado.

– Machucou a perna? – pergunta.

– Ah, acho que está tudo bem.

Tenho certeza de que estou ridículo ali sentado no meio da calçada, sorrindo como um idiota.

Meu pai surge ao meu lado e fala em um tom de voz alto e claro:

– Fique aqui. Vamos ver como está o motorista.

A menina e eu observamos o pai dela e o meu correrem para o local do acidente.

— Espero que ele esteja bem — diz ela.

— Não se preocupe — respondo com um tom de voz animado demais para a situação. — Tenho um pressentimento de que está bem sim.

22

Meu pai abre os olhos e observa seu escritório como se visse aquelas prateleiras e aqueles quadros pela primeira vez.

– Conseguimos? – Ele solta minhas mãos e começa a andar de um lado para outro na minha frente. – Como sabemos se mudamos a história?

Olho para o relógio em cima da porta. Faltam quinze minutos para as quatro da tarde.

Ele dá três passos largos para atravessar o cômodo e para atrás da mesa, arrumando alguns papéis.

– Onde está? Cadê a notícia que você trouxe?

Mantenho a voz calma para amenizar seu nervosismo.

– Está tudo bem, pai. Ainda não aconteceu. – Aponto para o relógio analógico em cima da mesa dele. – Desci para trazer a notícia por volta das sete e meia. Ainda faltam quatro horas.

Os olhos dele seguem a direção indicada por meu dedo, mas meu pai dá só uma olhada rápida antes de voltar a examinar os papéis em cima da mesa.

— Pai. Pare. — Apoio a mão em cima da dele. — Vamos conferir hoje à noite, mas agora não *tem* notícia nenhuma. Acho que *vai ter* uma notícia, mas será completamente diferente. Você está bem? Parece pálido.

Ele se vira, procurando a cadeira, e se senta meio sem jeito, puxando-a para perto da mesa de forma que possa apoiar a cabeça nas mãos. Observo seus ombros subindo e descendo a cada respiração lenta, difícil, mas, com exceção do ataque de pânico, ele não parece estar sofrendo nenhuma reação pós--viagem.

O que me faz perceber que também me sinto bem. Meu coração está acelerado, meu estômago está leve demais e só quero... me mexer. Quero sair de casa, subir no skate de novo e descer a ladeira depressa, sentir o vento afastando meu cabelo do rosto. Estou me sentindo incrível, sem sangramento nasal, sem enxaqueca, só meio estranho, como se meu corpo todo vibrasse com a descarga de adrenalina.

Meu pai ergue a cabeça e começa a digitar no teclado. Contorno a mesa, paro ao lado dele e o vejo digitar todas as combinações possíveis de palavras para pesquisar o que aconteceu hoje: "bicicleta", "acidente", "cruzamento" e "homicídio".

Ele ainda não entendeu.

— Pai, você não vai encontrar nada ainda. O acidente acabou de acontecer. Não vai aparecer uma notícia tão cedo. Pai... — Afasto as mãos dele do teclado. — Vamos olhar mais tarde, à noite, ok? Mas não vai aparecer nada. Confie em mim. Deu certo. Está todo mundo bem, menos o garoto dirigindo a caminhonete, que deve ser preso por direção perigosa, mas não por homicídio culposo.

Antes que eu consiga entender o que está acontecendo, meu pai se levanta e me abraça, apertando-me com tanta força que não consigo respirar. Depois de um tempo, me solta, mas continua segurando meus braços. Ele me encara como se tentasse decidir o que dizer, e finalmente se contenta com:

— Eram pessoas muito boas, não eram?

Rio de nervoso.

— Sim, pai, eles eram bem legais.

Eu me lembro da garotinha preocupada com o estado do motorista, que, em uma versão que não existe mais na linha do tempo, deixou a família dela sem pai e interrompeu sua vida aos nove anos.

— Tenho que voltar para o meu dever de casa — aviso, apontando na direção do meu quarto. — Preciso recomeçar um trabalho do zero.

Meu pai dá tapinhas nos meus braços e ri.

— Que droga. Sinto muito.

— Tudo bem. O trabalho também era uma droga.

Minha mochila está bem mais leve sem o skate. Quando a penduro nos ombros e reajusto as alças, dou uma última olhada no relógio em cima da mesinha de cabeceira. Eu não deveria ir para Easton antes do baile de volta às aulas no fim de semana, mas não consigo me conter. Tenho que ver Anna agora mesmo. Preciso contar o que acabei de fazer.

Pego as chaves do carro em cima da escrivaninha e corro para o jipe. Meia hora depois estou entrando na garagem do outro lado da cidade. Desligo o motor, tranco o portão e fecho os olhos.

E volto a abri-los na pista de corrida ao lado da de atletismo da Westlake. Fui parar exatamente onde queria, em uma área tranquila da trilha, atrás de algumas árvores e de um grande arbusto que me esconde. Deixo a mochila no chão e enfio a mão lá dentro, tateando até encontrar o que procuro. Depois presto atenção à trilha, esforçando-me para ouvir os passos dos corredores. Mas não há nada.

Não demoro muito para encontrar o local perfeito. Bem no meio da trilha, vejo um tronco grande e intencionalmente posicionado para saltarem, e encaixo o cartão-postal em uma fenda porque quero deixá-lo em pé. Depois volto para o esconderijo.

A adrenalina ainda corre em minhas veias, e por mais que eu saiba que devo ficar quieto e imóvel, ando de um lado para outro no chão de terra. Estou esperando e ouvindo com atenção, quase explodindo de ansiedade. Finalmente, alguns minutos depois, ouço o barulho cadenciado de pés batendo na terra, seguidos de uma respiração ofegante e alguns grunhidos. Eu me forço a relaxar, encostando as costas no tronco de uma árvore.

Os passos param.

– Olhe o que estava preso no tronco – diz alguém.

– O quê? – pergunta outra voz.

– Um cartão-postal. De *Paris*. – Não reconheço quem fala, mas rio baixinho ao perceber o tom fascinado quando diz "Paris".

– Que estranho.

Mais passos.

– O que foi?

Ah, agora é a voz de Anna. Fico parado, atento.

– Nada. Ande, estamos perdendo tempo – diz outra voz, e ouço passos na trilha outra vez.

– Olhe só o que achei preso no tronco.

– Hum...

Imagino Anna pegando o cartão da colega de equipe, virando-o nas mãos.

– Estranho. Stacy tem razão, temos que continuar.

Elas se afastam correndo e tudo fica em silêncio outra vez, até que ouço passos na trilha novamente, dessa vez na direção contrária. Folhas esmagadas, galhos quebrados., e o rosto de Anna surge ali quando ela desce a encosta e espia entre os arbustos.

– O que está fazendo aqui? – pergunta ela, claramente surpresa em me ver. – Estou no meio do treino. – Ela está dando passos largos e sorri ao se aproximar. Enlaço sua cintura e a tiro do chão. – *Eca*, o que está fazendo? Solta, me põe no chão! – E me bate com uma das mãos. – Estou toda suada.

– Não me importo.

Eu a abraço ainda mais forte e beijo seu cabelo. Eu estava completamente consciente da descarga de adrenalina em meu corpo, mas agora nem noto mais nada. Sinto a dor de cabeça se aproximando, mas ignoro.

– Tudo bem? Você está tremendo.

– Sim, tudo bem. Preciso contar uma coisa. – Passo as mãos no meu cabelo. – Não vai acreditar no que acabei de fazer...

De repente, não sei por onde começar. Anna olha para mim, confusa e curiosa, esperando que eu continue. Cada detalhe de *tudo* o que aconteceu nos últimos quarenta e cinco minutos ficam rodopiando em minha cabeça, se sucedendo depressa demais para que eu consiga me concentrar em um só. Isso tudo realmente aconteceu? As bicicletas. O acidente. A menina.

– Você só devia chegar na sexta.

– Eu sei, mas...

Um zumbido baixo no ouvido me faz parar no meio da frase, e antes que eu consiga dizer mais uma palavra, o som muda completamente, ficando muito mais alto, agudo e constante, e seguro a cabeça com as mãos, caindo em seguida no chão diante dela.

Ouço Anna dizer meu nome, mas a voz dela parece distante. Tento afastar minhas mãos da cabeça para me apoiar no chão, mas não consigo me mexer. Sinto o corpo inteiro ficar mais fraco, como se meus músculos atrofiassem enquanto fico ali caído. Meus joelhos dobram e bato com o rosto no chão.

Meus olhos estão tão arregalados que ardem e lacrimejam, e sinto pedrinhas e terra se acumulando embaixo das unhas enquanto tento me apoiar no chão para me sentar. Caio de novo, e minha cabeça bate em alguma coisa que parece uma pedra. Meus olhos se fecham sem que eu consiga controlar o movimento. De repente, o zumbido some e tudo fica em silêncio.

23

A dor me atinge de uma vez, tão forte e inesperada que nem tenho tempo de me segurar. Minha cabeça tomba para a frente e meu rosto atinge o chão. Quando abro os olhos, percebo uma poça de sangue embaixo da cabeça. Fico olhando para a estampa que claramente identifica o escritório do meu pai.

Nada de arbustos, de árvores, nem de Anna. Muito menos de garagem ou jipe.

Eu me arrasto até a ponta da mesa ao lado da cadeira de couro. Usando-a como apoio, tento me levantar, mas os joelhos não me sustentam e caio de lado, desmoronando em cima de um pufe, que sinto escorregar por mais que eu tente me agarrar, então é inútil. Acabo parando no chão de novo.

A frente da minha camiseta está ensopada de sangue, e só piora. Eu também o sinto escorrer pelo lábio superior, quente e pegajoso, entrando na minha boca. O sabor é metálico, repugnante. Usando uma parte limpa da camiseta, aperto o nariz com força. Eu me sento de volta e inclino a cabeça para trás, sentindo a beirada da mesa machucar minha nuca.

Cada vez que pisco, sinto como se meus olhos estivessem pegando fogo, e o suor se acumula em minha testa. A cabeça lateja e a boca parece estar cheia de algodão.

Então fica tudo escuro.

—

— Bennett! — A voz sai abafada e distante, irreconhecível. Tento abrir os olhos, mas nada acontece. — Bennett! Acorde. Beba isto aqui.

— Anna? — Não consigo ver nada e, quando pergunto onde estou, ouço palavras arrastadas, incompreensíveis. Tento outra vez abrir os olhos e, finalmente, vejo uma fresta de luz. Tateio o chão tentando me orientar. É macio. Como um tapete. — Anna? — repito.

— Bennett.

Sinto a mão de alguém no meu ombro. Minha cabeça oscila, e concentro toda minha energia na nuca, tentando sustentá-la.

— Onde estou? — pergunto outra vez. Dessa vez, minha voz sai mais clara, mas ainda não tenho resposta.

A mão afaga meu ombro com força.

— Beba isto aqui, filho.

Sinto alguma coisa fria e cremosa nos lábios, e antes que eu consiga processar o que está acontecendo, um líquido gelado atinge minha língua e queima a garganta ao descer. Eu me encolho e afasto o copo.

— Continue bebendo — diz ele, e o copo volta aos meus lábios.

Começo com goles pequenos, mas a água é tão boa que inclino o corpo, querendo mais. O copo é virado, e eu bebo grandes goles até esvaziá-lo.

— Isso. Assim é melhor. — Abro os olhos. Encontro o rosto preocupado do meu pai, e a mão dele agarra meu ombro. Ele deixa o copo perto de mim em cima da mesa. — Acha que consegue se sentar?

Respondo movendo a cabeça bem devagar para cima e para baixo, e uso toda minha energia para levantar o corpo do chão.

O sangramento nasal está bem diferente do último. Dessa vez minha camiseta ficou encharcada de sangue. Eu me lembro da sensação, do gosto, e isso me faz cair de novo, tomado pela náusea. Meu pai me segura pelos ombros e me levanta.

— Vou buscar mais água para você. Já volto.

Eu queria pedir água em temperatura ambiente, mas ele sai e fecha a porta antes que eu consiga falar. Olho para o teto e me concentro em uma pequena rachadura no gesso. Não vou fechar os olhos, apesar de estarem lacrimejando, ardendo e me implorando para fazer isso.

Alguns minutos depois meu pai surge ao meu lado outra vez, colocando um copo d'água na minha mão e uma compressa fria em minha testa. Ele abre minha outra mão, virando a palma para cima, e coloca três comprimidos nela. Mesmo fraco, balanço a cabeça para ele.

— É só um analgésico — explica ele. — Tome, vai ajudar.

Quero explicar que a dor de cabeça é normal, que sempre passa sozinha, que só preciso de água, café e vinte minutos de descanso. Mas percebo que esta dor de cabeça é diferente das outras e que as coisas que sei sobre o que "sempre" acontece não se aplica a esta situação específica. Coloco os comprimidos na boca e os engulo com água diante do olhar atento do meu pai. Bebo toda a água em alguns goles.

Minha mão continua tremendo, por isso cerro o punho junto do corpo.

— Vou buscar uma camiseta limpa para você — avisa meu pai, a caminho da porta.

— Pai.

Olho de novo para a rachadura no teto, mas, pelo canto do olho, reparo que meu pai parou de andar.

— Fique aqui. Por favor — peço.

Ele volta para perto de mim e se senta no pufe. Ficamos assim por um bom tempo, sem nenhum dos dois falar nada.

— Está pronto para me contar onde esteve? — pergunta ele.

Esfrego as têmporas com o nó dos dedos, olho para o relógio na parede atrás da mesa, do outro lado do cômodo. Estreito os olhos tentando enxergar, mas os ponteiros insistem ficar fora de foco.

— Onde estive? — Tento repassar tudo o que aconteceu. Estávamos esperando para ver as notícias sobre o acidente, para saber se foi diferente da primeira matéria que imprimi para mostrar a ele. Depois fui ver Anna, tudo ficou escuro, e quando abri os olhos estava ensanguentado no chão com meu pai me dando água. — Que horas são? — Minha voz ainda é fraca, rouca. Massageio o pescoço.

O relógio da parede está bem na frente dele, mas meu pai olha para o do próprio pulso.

— Duas e pouco. Bennett, preciso saber onde você esteve.

— Duas e pouco? — repito, ignorando completamente a pergunta dele. Esfrego as têmporas com ainda mais força. Isso não faz sentido algum. Deviam ser quatro horas quando fui ver Anna.

De repente tudo se encaixa e começo a entender o que está acontecendo. Fui jogado de volta. Com violência.

Meu coração acelera quando as coisas começam a fazer sentido em minha cabeça. A notícia que imprimi e trouxe para mostrar ao meu pai dizia que o acidente tinha ocorrido por volta das três e meia. Então não mudamos o fato.

Agora estou totalmente consciente, de olhos abertos, e viro a cabeça na direção do meu pai. Meu movimento repentino o assusta e ele recua, mas nem sequer tento esconder o medo em minha voz.

— Por favor, me diga que impedimos aquilo. Impedimos, não foi?

Ele parece confuso.

— Impedimos o quê? — pergunta, e minhas mãos começam a tremer. — Bennett, quero saber onde você esteve.

— As *bicicletas*? — Minha frase sai como pergunta. Fecho as mãos outra vez ao lado do corpo.

— Bicicletas? — Noto a confusão na voz dele.

Meu pai não sabe sobre o que estou falando. Não evitamos nada. Fui jogado de volta, e, no fim das contas, não impedimos a tragédia. Tapo o rosto com as mãos.

— Pai — falo sem erguer a cabeça. — Teve um acidente com aqueles ciclistas e nós voltamos... Levei meu skate e provoquei uma distração, e você ajudou. A menininha... — Engasgo com essa última palavra.

— Eu sei. — Ele parece estar preocupado com minha saúde mental, além da minha integridade física. — Ela está bem. Todos estão bem. Exatamente como você disse.

Afasto as mãos do rosto e olho para ele.

— O quê? Tem certeza?

— Absoluta. Eu estava esperando você chegar em casa para lhe mostrar a notícia. — Ele parece ter certeza, mas continuo encarando meu pai, esperando que ele mude o discurso. — A notícia foi exatamente como você disse. Um garoto bateu a caminhonete em um prédio. Nada sobre uma família de ciclistas.

Ele lembra. E se lembra, é porque aconteceu. Não apaguei nada. Nada disso faz sentido, mas abro um grande sorriso mesmo assim e, ao fazer isso, sinto meu rosto retesar, como se estivesse rachando. Coço a pele e olho para minhas unhas, que saem sujas de sangue seco, mas não me importo. Dou risada.

– Bennett, isso foi ontem.

Paro de rir, e meu sorriso desaparece.

– Como assim?

Meu pai confirma com a cabeça. Continua me olhando como se eu estivesse maluco.

– Ontem? Não... não pode ser.

Eu estava no meu quarto. Acabei de encontrar Anna.

– Bennett, é quinta-feira à tarde. – Ele leva o pufe para mais perto de mim, e parece estar escolhendo com cuidado as palavras. – Sua mãe e eu ficamos muito preocupados. Você saiu do meu escritório, disse que ia subir para fazer um trabalho da escola, e quando sua mãe foi chamá-lo para o jantar, você tinha sumido. Passou a noite toda fora. Faz uma hora que encontrei você aqui no chão.

Penso na data. Nem consigo falar que dia é hoje em voz alta. *Quinta-feira?*

– Filho. – Meu pai começa a falar devagar, como se eu precisasse de mais tempo que o normal para processar o que ele está prestes a dizer. – O acidente foi ontem. Lembra o que aconteceu quando voltamos para casa?

Eu me esforço. Eu me lembro de voltar da reformulação e de sair do escritório dele. Subi a escada, peguei um cartão-postal na gaveta da escrivaninha e o coloquei na mochila. Fechei os olhos e fui parar na pista de cross country de Westlake. Fiquei escondido na trilha, ouvindo Anna e suas companheiras de equipe especulando sobre o misterioso cartão-postal. Ela me encontrou logo depois e nós conversamos. Estava me sentindo ótimo, até um zumbido no ouvido me fazer cair de cara no chão. E depois eu estava aqui, de volta ao escritório do meu pai. Tudo isso foi há quinze minutos, vinte, no máximo.

Mas não foi vinte minutos atrás. Essas coisas aconteceram ontem.

— Preciso saber onde você esteve, Bennett. Tem que me contar a verdade. Por que passou a noite toda fora de casa?

A verdade. Desvio os olhos dele e balanço a cabeça. Não posso responder, porque não faço a menor ideia.

Eu o encaro de novo.

— Não sei, pai. Não sei mesmo.

Ele me observa como se não acreditasse e suspira fundo para enfatizar ainda mais sua desconfiança.

— Não minta para mim, Bennett. Como pode não saber onde passou as últimas vinte e duas horas?

Vinte e duas horas? Olho para ele boquiaberto e olhos arregalados, balançando a cabeça. Não sei. Sério mesmo, não faço a menor ideia de onde estive.

Meu pai deve perceber pela minha expressão que, desta vez, estou falando a verdade.

— Não sabe mesmo, é?

Balanço a cabeça com ainda mais força, levo as pernas ao peito e apoio o rosto nos joelhos. Isso não pode estar acontecendo.

— O que aconteceu enquanto estive fora? — pergunto sem erguer a cabeça.

Ele hesita antes de falar, como se pesasse suas palavras com todo o cuidado.

— Contei tudo para sua mãe.

Levanto a cabeça, sobressaltado.

Meu pai continua:

– Quando deu meia-noite e você ainda não tinha voltado...

Deixo a cabeça cair de novo sobre os joelhos.

– Qual é a última coisa que você lembra?

Minto:

– Eu estava sentado no meu quarto, fazendo o trabalho da escola.

– E depois?

Penso por um instante, mas decido continuar mentindo:

– Depois fui parar no tapete do seu escritório, tentando ficar de pé.

Tenho que voltar e avisar a Anna que está tudo bem. Eu a deixei sozinha no meio do bosque depois de me ver desaparecer. Prometi a ela que nunca mais iria embora desse jeito. Mas então me questiono: e se não fui? E se passei as últimas vinte e duas horas lá e apenas não me lembro?

– Olhe, o que você fez naquele outro dia foi incrível. Devia estar orgulhoso de si mesmo.

– Mas...? – pergunto.

– Mas isso é perigoso. – Ele aponta para as manchas de sangue no tapete. – Bennett, você é um garoto inteligente e sabe disso, mas sinto que, mesmo assim, tenho que falar isso. – E aproxima ainda mais o pufe de mim. – O que está acontecendo com você agora, seja o que for, é por causa da viagem. Sabe disso, não é?

Olho para ele, sem reagir.

– Sua mãe tinha razão. Isso é perigoso demais.

Inspiro lentamente, absorvendo as palavras dele. Minha mãe não era a única que estava certa... eu também estava. Sempre soube que não devia mudar as coisas. Não existe essa história de segunda chance, nem quando é merecido.

Eu me senti bem depois do caso de Emma. E após o do incêndio também. Tive uma hemorragia nasal na última vez que voltei de Evanston, mas nem pensei que pudesse haver alguma conexão. Agora não sei o que aconteceu durante vinte e duas horas da minha vida e estou todo ensanguentado. É óbvio que *tudo* isso está conectado. Posso usar meu dom para fazer o bem, mas preciso arcar com as consequências.

— Cadê minha mãe? — pergunto.

— Dormindo. Ela passou a noite toda acordada. Finalmente a convenci a descansar um pouco. Vai ficar feliz ao ver você em casa são e salvo. — Meu pai fica em pé e espana uma poeira imaginária da calça. — Ela está muito brava comigo. Acha que fui eu que convenci você a fazer aquilo.

— De onde ela tirou essa ideia?

Meu pai dá de ombros.

— Porque eu disse a ela. E a culpa *é minha* mesmo. A ideia pode ter sido sua, mas eu pressionei.

— Não pressionou não — protesto, mas é em vão. Ele olha para o outro lado da sala, sentindo-se totalmente arrasado.

— Pai?

Ele volta a olhar para mim. Eu me lembro da manobra 50-50 pela mureta lateral da escada e em como encenei meu tombo na calçada. Revejo a expressão da menina. Recordo-me de como meu pai me abraçou forte quando tudo acabou.

— Foi muito divertido — confesso.

— Foi incrível, não?

E lá está novamente: a mesma expressão que ele fez quando voltamos. O triunfo e o orgulho. E sinto um enorme vazio ao pensar que pode ser a última vez que vejo isso.

— Na verdade, eu estava bem animado para repetir isso, mas... Ah, deixe pra lá. — Ele balança a cabeça e apoia a mão no meu joelho. – Obrigado por ter me levado junto. – Ele balança a minha perna com o intuito de me reconfortar e, em busca de algo para fazer, estende a mão e pega o copo em cima da mesa. – Vou buscar mais água para você. Já volto.

Assim que ele sai, eu me levanto. Minhas pernas ainda tremem e estão fracas, por isso me apoio na lateral da cadeira. Quando estou me aproximando da porta, o brilho da tela do computador chama a minha atenção, e sinto uma necessidade de ver a notícia com meus próprios olhos.

Volto para perto da mesa, sento-me na cadeira de couro e alcanço o mouse. Penso em abrir uma nova aba no navegador, mas não precisa, porque já tem uma aberta. É uma notícia de hoje de manhã, sobre um menino da nossa cidade que foi visto pela última vez no ponto de ônibus, mas não chegou à escola.

Meu pai não estava exagerando quando disse que estava animado para nossa próxima mudança na linha do tempo.

Inclusive já havia encontrado o que mudar.

24

Estou na metade da escada, quando minha mãe me vê lá de cima. Ela começa a descer correndo, agarrando o corrimão.

– Você está em casa... O que aconteceu? – E pisca depressa como se tentasse recuperar o foco.

– Estou bem.

– Não está *nada* bem, Bennett! – Seus olhos percorrem do meu rosto para a calça jeans e voltam.

– Foi só um sangramento nasal.

Olho com indiferença para minha camiseta.

– *Isso tudo* foi sangue do seu nariz? – Minha mãe comprime os lábios, e seu queixo treme. – Onde passou a noite? Por favor, me conte logo o que aconteceu com você.

Ela está com o olhar vidrado, e percebo como está magoada. Tem muitas coisas que eu adoraria contar para minha mãe, mas estou tão desnorteado que nem sei por onde começar. Quando nos entreolhamos, sinto-me como um menino de cinco anos que acabou de cair do brinquedo no parque e precisa de conforto e segurança. Se eu contasse, aposto que ela me proporcionaria tudo isso.

— Onde você estava? — pergunta, com um tom suave.

— Não sei, mãe. — Minha voz treme quando respondo, então respiro fundo. Pela expressão que ela faz, sei que acredita em mim. Mas também percebo que não é o bastante. Se quero continuar subindo a escada, tenho que dar uma explicação melhor.

Ela segura minha mão, incentivando-me a falar mais:

— Acordei assim no escritório do papai. — Afasto a camiseta do corpo e balanço a cabeça. Depois olho para baixo, na direção do corrimão, e hesito enquanto escolho as palavras com cuidado. Nunca conversei de verdade com minha mãe sobre o que sou capaz de fazer. Nós sempre apenas rodeamos o assunto, por assim dizer. Mas, agora, só dá para ser direto. — Meu pai contou o que fizemos, certo? — Minha mãe assente. — Devo ter apagado depois.

Ela cruza os braços. Do pescoço para baixo, parece zangada, mas seu rosto revela as verdadeiras emoções.

— Esse tempo todo? — questiona ela, balançando a cabeça como se não conseguisse acreditar que está fazendo uma pergunta tão boba.

Dou de ombros, tentando parecer calmo, como se não fosse nada de mais. Mas sinto meu rosto se contorcer, estragando o disfarce. Eu a encaro.

— Sinceramente, não sei onde eu estava.

A expressão dela agora é uma mistura estranha de piedade e preocupação.

O instinto de luta ou fuga me domina, e agarro o corrimão com mais força, afastando de novo a camiseta do meu corpo.

– A gente pode conversar sobre isso mais tarde? Quero me limpar. – Sem esperar por uma resposta, dou um beijo em sua bochecha e passo direto por ela.

– Precisa de alguma coisa?! – grita minha mãe, às minhas costas.

Sim. Preciso ser capaz de estar em dois lugares ao mesmo tempo. Preciso não perder ninguém, e que ninguém me perca de vista.

– Não, obrigado – respondo ao me virar no corredor lá de cima.

No banheiro, lavo depressa o sangue do rosto com sabonete e água quente. Penteio o cabelo, mas, quando acabo, ainda parece oleoso e sujo. Tiro a camiseta e a jogo no lixo. É uma das minhas favoritas, mas espero nunca mais vê-la.

Vou para o meu quarto e tranco a porta. Meus olhos estão pesados, e apesar de sentir a força da gravidade me puxando para a cama, eu a ignoro. Depois de tudo o que aconteceu, sei que essa é a maior idiotice que posso fazer, e que o número de coisas que podem dar errado é praticamente infinito. Mas preciso voltar e ver Anna. Só por alguns minutos. O suficiente para avisar que estou bem e descobrir se minha versão do que aconteceu na pista de corrida bate com a dela. Depois posso dormir.

Minha calça jeans parece ter colado na minha pele. Eu a tiro, jogo no cesto de roupa suja e reviro as gavetas até encontrar minha calça de moletom favorita e um casaco de capuz do Cal Bears. Troco as meias e calço os sapatos. Meus olhos ardem e começam a lacrimejar, mas eu os limpo com as costas da mão.

Minha mochila continua equipada, e estou quase pronto para ir. Pego um Red Bull no frigobar do closet e tiro duas garrafas d'água em temperatura ambiente de baixo da cama, depois arrumo tudo em cima da mesa de cabeceira para que as coisas estejam ao meu alcance quando eu voltar.

Estou de pé no meio do quarto, quase fechando os olhos, quando alguém bate à porta. Murmuro um palavrão e jogo a mochila no canto.

— Entre — falo, deitando-me na cama como se fosse cochilar. Vejo a maçaneta se virar algumas vezes.

— A porta está trancada! — grita minha mãe do outro lado, e sinto minhas pernas pesadas quando atravesso o quarto para abrir para ela. — Posso entrar?

Não. Estou de saída. *Preciso* sair. Mas recuo alguns passos e abro a porta. Minha mãe entra e se aproxima da janela do canto com vista para a baía. Ela passa os dedos pelo caixilho, depois cruza os braços e continua de costas para mim.

— Eu me lembro do dia em que nos mudamos para esta casa.

— Mãe, estou muito cansado. — Tapo os olhos com a mão. Precisamos fazer isso agora mesmo?

Ela continua como se eu não tivesse falado nada:

— Você e seu pai estavam a caminho no caminhão de mudanças, enquanto eu percorria cada cômodo daqui, tentando adivinhar quais quartos você e Brooke escolheriam. Eu estava bem aqui, admirando a vista, quando Brooke entrou e disse que queria este quarto. Mas a convenci a ficar com o outro.

— Por quê? — pergunto.

— Este era o melhor dos dois. Tinha a vista, e achei que devia ser seu. Afinal, foi você quem nos trouxe para esta casa. — Ela se vira e olha para mim. — Briguei muito com seu pai por causa do que vocês dois fizeram...

— Só compramos algumas ações.

Foi mais que isso, na verdade, mas não estou disposto a discutir esse assunto agora. Já fiz isso, já conversei sobre as nuances de manipular o mercado e comprar ações com base em informações que nenhum de nós deveria ter ou poder usar. Mas, da última vez que conferi, as leis de comércio interno não mencionavam nada sobre viagens no tempo.

— Não vou pedir para você justificar o que fez, Bennett. Apesar de achar errado, entendo por que agiu daquela forma.

Não falo nada.

— Fez aquilo para nos deixar feliz. Para dar uma vida melhor à nossa família.

— Isso.

— E, provavelmente, para tirar o pai do seu pé. — Ela sorri.

Sorrio em resposta.

— É, isso também.

Minha mãe me lança um olhar penetrante e fica séria, como se estivesse se preparando para falar algo importante.

— Vou ser sempre grata pelo que fez por nossa família, Bennett, mas quero que saiba de uma coisa. — Ela dá alguns passos na minha direção, mas continua distante. — Não precisava ter feito isso. — E abre os braços para indicar o quarto.

Olho para ela sem esconder o ceticismo, e minha mãe balança a cabeça.

— Não me entenda mal. Agradeço por tudo isso... Admito que gosto das coisas boas da vida, e tudo tem sido muito mais fácil com, bem, com tudo o que temos. Mas não preciso disso.

Ela parece decidida, mas não me contenho e ergo uma sobrancelha.

— Estou falando sério. Seu pai não gostava do emprego que tinha, e eu não adorava morar naquele apartamento pequeno em um bairro perigoso. E, sim, o dinheiro era apertado e nós brigávamos muito por esse motivo. Mas quer saber de uma coisa?

Confirmo com a cabeça.

– Seu pai e eu nos amamos, e amamos você e Brooke mais do que imaginam. Nossa família teria ficado bem mesmo sem tudo isso. – Ela deve ter visto a incredulidade em meus olhos, porque acrescenta: – De verdade. – E me olha séria para demonstrar sua convicção.

Acho que ainda pareço duvidar. Sei o quanto ela gosta do carro e das roupas de grife que tem.

– Você abriria mão de tudo isso? – Aponto para as pérolas que ela está usando.

– Com certeza. Na verdade, seria bom ficar livre da culpa.

Encaro minha mãe e noto que ela está falando sério.

– Seu pai me contou o que você e ele fizeram por aquela família ontem. E falou sobre o incêndio... – Ela faz uma pausa. Depois dá três passos para a frente e me abraça. – Espero que ele não tenha convencido você...

Eu a interrompo:

– Ele não me convenceu de nada, mãe. Juro. A ideia foi toda minha. – Sinto meu rosto esquentar. – Se você parasse de se preocupar, perceberia que tenho tudo sob controle.

– É mesmo? – Ela me olha de soslaio. Minha mãe sabe que tem razão. Há dois dias eu poderia ter acreditado no que falei, mas hoje... é... não é bem assim. – Escute, Bennett, adorei o que você fez por aquelas crianças, de verdade. Mas você é *meu* filho, e sei que é egoísta, mas não quero trocar sua segurança por *ninguém*.

Balanço a cabeça.

– Fala sério, isso não tem a ver com a minha segurança.

– Tem, sim. Já passei muitas noites imaginando onde meus filhos estavam, Bennett. Tem a ver com você estar aqui, neste lugar, vivendo como uma pessoa normal.

Eu sabia que ela diria a palavra "normal" em algum momento. Sem pensar, comento:

— Mãe. Vou voltar para visitar Maggie.

Ela fica boquiaberta. Pego em cima da mesa a foto em que estou com a minha avó.

— Falei que esta foto foi tirada quando passei alguns meses morando com ela, em 1995, mas não é verdade. Ela não tinha essa aparência naquele ano. A foto foi tirada em 2003, pouco antes de ela morrer.

As mãos da minha mãe tremem ao pegarem a foto de mim.

— Faz anos que volto lá. Tenho cuidado dela.

Minha mãe procura alguma coisa em que se segurar, mas não tem nada por perto, então ela recua alguns passos e se senta na beirada da cama.

— Você tem voltado lá? — Seu lábio treme ao perguntar e, quando respondo com um movimento afirmativo de cabeça, ela tapa a boca com a mão.

— O tempo todo — confirmo.

Minha mãe fica sentada na cama, olhando para a foto, e percebo que é a hora perfeita para contar sobre Anna também. Só preciso pegar o álbum no fundo da gaveta, dizer alguma coisa simples como "também volto para ver essa garota. O nome dela é Anna", e começar a virar as páginas. E ela entenderia. Teria que entender.

Mas antes que eu consiga me mover, minha mãe me encara com os olhos cheios de lágrimas e dá um tapinha ao seu lado na cama.

— Venha cá, me conte sobre ela — pede, referindo-se à minha avó, e não à minha namorada.

Então, em vez de me aproximar da escrivaninha, me sento ao lado da minha mãe e conto tudo, desde as flores que Brooke plantou no jardim de Maggie, as contas que pagamos e até os detalhes do quarto onde durmo quando vou visitá-la. As lágrimas escorrem por seu rosto, mas minha mãe ainda não ouviu tudo.

Peço para ela me contar o que aconteceu entre as duas.

– Brigamos sobre coisas sem importância, e sinceramente não sei por que fiquei tanto tempo afastada dela – revela, tremendo toda enquanto as lágrimas caem com ainda mais intensidade. – Deixei alguns desentendimentos bobos me distanciarem da minha mãe e impedirem que ela conhecesse meus filhos. – Respira fundo. – E ela estava sozinha quando... – Não consegue terminar a frase, mas não é necessário.

Chego mais perto, diminuindo a distância entre nós.

– Ela não estava sozinha – falo em voz baixa, e minha mãe olha para mim. Conto que Brooke e eu voltamos para o dia em que Maggie morreu e que seguramos sua mão enquanto ela partia. Brooke chamou uma ambulância, e nós desaparecemos assim que o socorro chegou.

Minha mãe me abraça forte, e relaxo em seus braços, aliviado por ter finalmente contado tudo. Tento pensar em um jeito de também contar sobre Anna, porque seria bom não esconder mais nada, porém, acho que não é a hora certa.

– Obrigada – diz ela, acariciando minhas costas.

Depois minha mãe se afasta e se levanta. Esfrega as mãos na calça, ajeita a camisa, olhando ao redor como se as paredes estivessem se fechando e ela precisasse dar o fora. Ela beija meu rosto, diz que me ama e me encara nos olhos.

– Faça um favor – pede com a voz um pouco mais firme. – Fique sem viajar por um tempo. Preciso pensar em tudo isso, está bem? Por enquanto, só tenho que saber que está aqui, em segurança. Pode fazer isso por mim? – Sem esperar por uma resposta, ela continua: – Vou deixar você descansar. – Já está quase fora do quarto, quando para e se vira para mim. – Ah, e ligue para Brooke, por favor. – Minha mãe olha para minha escrivaninha como se esperasse encontrar meu celular no lugar de sempre. – Ela está preocupada. – Em seguida ouço o ruído do trinco da porta.

    Olho para a porta fechada, pensando no pedido que minha mãe me faz. Eu queria poder atendê-lo. Depois observo minha cama, e queria poder me deitar e dormir pelas próximas dez horas, mais ou menos. Olho pela janela, torcendo para o jipe ainda estar na garagem e para o celular estar no porta-luvas, e sinto vontade de ligar para Brooke e contar tudo para ela. Os riscos são enormes. Mas a necessidade de ver Anna... de dizer a ela que estou bem e pedir para me ajudar a entender o que aconteceu ontem... é mais forte que todas as outras.

    Pego a mochila embaixo da cama, coloco-a nos ombros, paro no meio do quarto e fecho os olhos. Eu me sinto tentado a voltar à pista de corrida, chegar ao mesmo lugar apenas um ou dois minutos depois da hora em que imagino que fui jogado de volta, mas ainda estou preocupado com a reformulação do acidente de bicicleta. Então, em vez disso, penso no dia anterior, pouco antes da meia-noite. Imagino o quarto de Anna. Visualizo o relógio sobre a mesa de cabeceira. E me deixo ir. Alguns segundos depois, abro os olhos.

    Eu estava esperando ver suas estantes cheias de troféus e CDs, mas eu me deparo com meu tedioso quarto branco. Fecho os olhos e tento de novo. Quando os abro, descubro que ainda estou onde tudo começou.

    Isso não pode estar acontecendo.

    Está acontecendo como naquela vez, quando Anna foi jogada de volta do meu quarto e fiquei preso, sem conseguir sair daqui. Talvez seja só meu cérebro exausto. Talvez eu precise de alguma ajuda extra. Sem sair do lugar, olho em volta em busca de alguma coisa que me auxilie a visualizar o lugar aonde quero ir.

O álbum de fotos continua guardado no fundo da gaveta. Eu o pego e abro na última foto: Anna e eu deitados no tapete do quarto dela. O braço dela está estendido no ar, nós dois sorrindo. Toco a página plastificada e fecho os olhos. É lá que preciso chegar.

Fecho os olhos. Abro de novo. Repetidas vezes.

Depois de mais seis tentativas, caio no chão ao lado da cama, enjoado e totalmente esgotado. Quando dou por mim, estou acordando com os raios do sol da manhã em cima de mim.

25

Não tenho ideia do que está acontecendo onde Anna está. Só sei o que acontece aqui. Os dias começam e terminam. Passei quatro deles tentando desesperadamente voltar para quando deixei Anna na pista no bosque. Fecho os olhos, abro, repito tudo incansavelmente. Espero um resultado diferente. Acho que foi Einstein quem disse que essa era a definição de insanidade.

Faz três semanas e quatro dias que fui à festa de aniversário de Emma, o que significa que o baile de volta às aulas já passou. Pior, deixei Anna exatamente como da última vez: sozinha, sem qualquer aviso. Como jurei que nunca mais faria.

Minha mãe me deixa faltar aula na sexta e de novo na segunda, mas, na terça, decide que estou bem e que posso enfrentar um dia inteiro de aprendizado. Assim, saio me arrastando do estacionamento até a sala da turma avançada de Civilização Mundial. Não sou o primeiro a chegar, mas também não sou o último, pelo menos.

Pego o caderno e um lápis na mochila e começo a desenhar, enquanto espero o toque do sinal.

— Ei, estranho. — Olho para a esquerda e deparo com Megan se sentando no seu lugar. — Bem-vindo de volta.

— Obrigado. — Sorrio para ela e volto ao meu desenho.

Um minuto depois, mais ou menos, ela se inclina em direção ao corredor.

— Você faltou a prova ontem. Caiu toda a matéria que demos até agora.

Paro de desenhar e olho para ela.

— Foi bem difícil, mas... — ela dá de ombros — acho que fui bem. Enfim, se quiser ver minhas anotações, eu empresto.

A sra. McGibney entra na sala carregando sua pasta e olha diretamente para mim.

— Cooper — diz com uma voz neutra. Depois larga a pasta ao lado da mesa, que cai no chão com um baque. Ela começa a escrever a agenda do dia no quadro branco, mas sei que ainda está se dirigindo a mim quando acrescenta: — Perdeu uma prova ontem. Pode fazer hoje na hora do almoço.

Olho para Megan, que faz uma careta.

— Hoje? — pergunto.

— Isso mesmo. Hoje seria perfeito. — Ela olha para mim por cima do ombro. — Não se preocupe, pode trazer seu almoço. — E volta a escrever.

— Eu esperava ter mais alguns dias para revisar a matéria.

— Avisei sobre a prova na quarta passada, Cooper. De acordo com meus registros, você estava em sala nesse dia. Considerando as notas, todos os alunos dessa turma passaram os últimos dias "dando uma revisada". Se não foi o que você fez, não é problema meu.

— Mas eu estava doente.

Ainda escrevendo, diz:

– Vou passar novamente a prova hoje, na hora do almoço. Qualquer outra solução seria injusta com o restante da turma. – Ela termina de colocar a agenda e aproxima a caneta do quadro, concluindo a última frase com um ponto barulhento. – Tudo bem? – Ela se vira e olha para mim.

Não faz diferença. Hoje, semana que vem, minha nota nessa prova provavelmente vai ser a mesma. Assinto em silêncio.

– Ótimo. Estarei esperando, então.

Passo os quarenta e cinco minutos seguintes tentando revisar a matéria. Toda vez que a sra. McGibney se vira de costas, eu folheio o caderno numa tentativa desesperada de recordar tudo que aprendi sobre civilizações do mundo desde o começo das aulas. As anotações são bem detalhadas em alguns trechos, mas, para ser sincero, não me lembro de ter escrito várias coisas. Em outros lugares, encontro inúmeras páginas apenas com desenhos. Pelo visto, algumas semanas atrás passei uma aula inteira tentando dar um nome para a minha garagem.

O sinal toca, então todo mundo se levanta e se dirige à porta. Quando chego ao corredor para ir até a aula seguinte, encontro Megan parada na frente dos armários, sorrindo e claramente esperando por mim.

– Cara, que sacanagem – comenta ela quando me aproximo.

– Preciso me lembrar de não ficar doente de novo.

Ela sorri.

– Tome.

Ela me entrega um caderno preto e branco que tira da bolsa carteiro. A capa está dobrada, as folhas estão desgastadas, e quando o seguro percebo que o caderno dela está bem mais acabado que o meu, como se o usasse para fazer anotações na sala e estudar mais tarde.

– Sério?

– Claro. – Megan fecha a bolsa e ajeita a alça no ombro. – Você podia matar as três próximas aulas e ir estudar na biblioteca.

Em circunstâncias normais, eu faria exatamente isso. E depois de estudar, voltaria ao começo do dia e faria tudo de novo de outro jeito. Na segunda vez, eu estaria preparado para a prova e para a pergunta da sra. McGibney. Quando Megan não estivesse olhando, eu devolveria o caderno para sua bolsa. Essa conversa nunca teria acontecido e Megan jamais conheceria a versão dos fatos que apaguei: a que ela me esperava no corredor para me emprestar suas anotações.

Mas estas não são circunstâncias normais. Não sei se poderia voltar quatro horas no tempo, por mais que quisesse. Se eu tivesse a capacidade de viajar outra vez, com certeza não estaria na escola, preocupado com uma prova. Estaria com Anna.

– Obrigado – respondo, guardando o caderno na mochila enquanto começo a pensar em quais desculpas dar para não aparecer nas próximas três aulas. – Isso é muito legal da sua parte.

– Tudo bem. – Megan fica ali parada como se tivesse mais alguma coisa a dizer. – Bom, é melhor eu ir para a aula. Boa sorte.

Antes que eu possa responder, ela se vira e se afasta. Sigo para a biblioteca.

Estou sentado no mesmo lugar há mais de uma hora, encarando a mesma página e tentando *não* olhar para a mesma janela. As anotações de Megan são claras e detalhadas, mas as palavras parecem sumir da minha mente mais depressa do que consigo enfiá-las lá dentro.

Giro o lápis entre os dedos e penso em Anna, nas últimas palavras que ouvi dela: *Você só devia chegar na sexta.*

Mas não terei como chegar na sexta. E nem na quarta ou na quinta. Toda vez que tento, abro os olhos no exato lugar onde os fechei. Mas de repente entendo tudo. Estou tentando voltar para algum dia antes do baile de volta às aulas, para não decepcionar Anna. Mas e se eu estiver me esforçando demais para chegar em um determinado momento, quando devia simplesmente tentar *voltar*?

Pego meu celular, mas deixo o resto das coisas em cima da mesa, e procuro um computador vazio. Procuro um calendário de 1995 e encontro o mês de outubro. Abro a agenda do celular no dia de hoje e aproximo o aparelho da tela. Os calendários são quase idênticos. Só há um dia diferente. Em 2012 é terça-feira. Em 1995, é segunda.

Depois vou direto para o banheiro masculino e me tranco em um reservado. Deixo o celular atrás do vaso sanitário e fecho os olhos. Recordo o layout da Westlake Academy, tentando lembrar os lugares tranquilos que usei para me esconder sempre que sentia que estava prestes a ser jogado de volta para São Francisco.

Do lado de fora do prédio de Espanhol tem uma trilha que quase nunca é usada, além de ser cercada por plantas e arbustos. Já levei Anna até lá. Foi no dia em que matamos aula e contei a ela a última parte do meu segredo.

Não faço ideia se vai dar certo, mas fecho os olhos, murmuro "por favor" e imagino esse lugar.

Sinto um arrepio com a queda brusca de temperatura e respiro o ar puro que é inexistente dentro de um banheiro masculino. Assim que abro os olhos, vejo o campo vazio e suspiro. Estou onde queria.

Aproximo as mãos da lateral do rosto e dou uma olhada através da porta de vidro. Está tudo tranquilo. Cheguei *onde* eu queria, mas ainda não sei se cheguei *quando* eu queria. Empurro a maçaneta, e a porta se abre. Pelo menos é dia de aula.

O corredor está vazio. Olho em volta procurando um relógio e encontro um logo acima de uma fileira de armários. Calculei perfeitamente. Estou apenas a poucos passos de onde preciso estar e com um minuto de antecedência. Apoiado nos armários, tento passar a impressão de que estou à vontade aqui, quando o sinal toca. Só então me dou conta de que sou o único sem uniforme.

De ambos os lados do corredor, as portas das salas se abrem e pessoas começam a sair vestindo a estampa tradicional xadrez preto e branco de Westlake. As meninas usam saia e blusa branca. Os meninos, calça e camisa social. Vejo uma ou outra gravata e alguns suéteres de gola V.

As regras são claras neste corredor circular apelidado de Donut, e como todo mundo tem que andar em sentido horário de uma aula para outra, todas as pessoas vêm ao mesmo tempo na minha direção. Algumas notam minha presença ali, estranham minhas roupas comuns e me olham com curiosidade ao passar.

Procuro Anna em meio à multidão, mas não a vejo em lugar nenhum. Quando a quantidade de pessoas diminui, começo a duvidar da minha precisão. Será que me enganei com relação ao horário das aulas dela?

Mas então a vejo no fim do corredor conversando com Alex, e meu coração dispara.

Quando está muito próxima da porta da sala de aula, ela finalmente me vê. Anna fica paralisada e tapa a boca com a mão. É impossível decifrar sua expressão, e enquanto ela dá passos largos na minha direção, não consigo perceber se está aliviada por me ver ou furiosa por eu não ter aparecido quando devia. Eu me preparo para o pior, mas, assim que chega perto de mim, ela me abraça com força. Nunca fiquei tão feliz em vê-la.

– Desculpe – cochicho em seu ouvido.

Alex passa por nós e, antes de entrar na sala, resmunga "babaca".

– Ignore ele – diz ela com o rosto colado ao meu pescoço.

Tento soltá-la para poder ver seu rosto, mas ela me abraça com ainda mais força.

– Desculpe, faltei ao baile.

– Não faz mal. Você está aqui agora.

O corredor esvazia e sei que o sinal vai tocar. Recuo um passo e apoio as mãos nos ombros dela.

– Preciso falar com você. – Aponto com o queixo para as portas duplas que levam para a saída, e dá para perceber por sua expressão que ela entendeu exatamente o que quero dizer. – Mas dessa vez não posso levar você de volta. Vai ter que perder a aula de espanhol de verdade. Tudo bem?

– Tudo bem. – Ela ri como se não houvesse outra resposta possível.

Seguimos a trilha que sobe a encosta até chegarmos à grande árvore no alto da colina. Nós nos sentamos um do lado do outro, exatamente como no ano passado, quando contei a ela a terceira e última parte do meu segredo, e ela se tornou a quarta pessoa do mundo que sabe tudo sobre mim. Mas agora só há sofrimento e preocupação em seu rosto, e me questiono se tomei a decisão certa naquele dia.

– Eu não sabia o que fazer. – A voz dela sai trêmula, assim como suas mãos, e eu as seguro, aproximando-me ainda mais. – Naquele dia você apareceu lá no bosque, todo animado, e de repente caiu. O que aconteceu? Por que não conseguiu voltar?

Balanço a cabeça.

– Não sei. Tem algumas coisas... faltando. Aquela vez foi a última que você me viu?

Anna assente, mas fica claro que está confusa com a pergunta, porque eu já devia ter essa informação.

Sua respiração acelera e percebo o pânico em sua voz.

– É, você foi jogado de volta para casa.

Para casa, não. Pelo menos não imediatamente. Se eu não estava aqui nem lá, será que passei vinte e duas horas desmaiado na garagem?

Nos quinze minutos seguintes, falo sem parar e conto a Anna tudo o que aconteceu semana passada, a notícia sobre o acidente e o skate, as duas meninas e meu pai me ajudando a mudar os fatos, e confesso que não faço ideia de onde estive por quase um dia inteiro, e revelo que passei os últimos cinco dias tentando voltar para ela. Seu rosto se contorce quando revelo que os retornos se tornaram dolorosos e que foram ficando cada vez piores e mais sangrentos.

– Agora vai ficar tudo bem. – Forço um sorriso e espero parecer confiante. – Vou voltar a fazer o de sempre. Pelo que parece, enquanto eu usar essa capacidade ridícula para os meus propósitos egoístas, posso ir e voltar como eu quiser.

Anna segura meu rosto entre as mãos e me faz encará-la.

– Você tem de me prometer que não vai mudar mais nada. Nunca.

Confirmo com a cabeça.

— É, tenho certeza de que é essa a mensagem que estou recebendo aqui. – Dou risada, mas Anna não ri.

— Prometa – repete ela.

— Sim, prometo. – Por que é tão fácil fazer essa promessa para ela, quando não consigo prometer a mesma coisa aos meus pais? Suspiro. – Bom, pelo menos meus pais concordam com uma coisa. Os dois deixaram bem claro que não posso mais viajar.

— Nem para me ver?

Paro de rir.

— Não... bom. Sim. Não exatamente.

Anna me solta e se afasta de mim.

— Como assim, "não exatamente"? Eles disseram que você não podia mais voltar aqui?

Olho para o chão.

— Na verdade, sim. Mas isso foi há cinco meses.

Ela espera uma explicação, mas não sei o que dizer em seguida. Essa conversa era inevitável, e eu ensaiei muitas vezes em minha cabeça. Porém, ter que lidar com isso hoje não fazia parte dos meus planos.

— Meus pais não sabem... exatamente... sobre você. – Prendo a respiração e fico esperando, enquanto ela me encara por um tempo dolorosamente longo.

— Eles não sabem sobre mim?

Não sei se ela está com vontade de chorar ou de me bater. Nego com a cabeça, e Anna semicerra os olhos incrédula.

— E sua irmã?

— Brooke sabe.

— Brooke? – A voz de Anna falha ao pronunciar o nome da minha irmã, e o tom questionador no fim da palavra sugere que ela não consegue acreditar que só uma pessoa no meu mundo saiba que ela existe.

– Escute, por favor. Meus pais não entenderiam. E não posso contar para os meus amigos... Quer dizer, o que vou dizer a eles?

– Diga que moro em Illinois. Assim como meus amigos pensam que você é um cara normal que mora em São Francisco. – Ela se afasta de mim, parecendo confusa e aborrecida ao mesmo tempo. – Não precisa contar a eles que moro em 1995. – Ela diz essa última parte tão baixinho que preciso me esforçar para ouvir. Mas ela recupera o tom normal em seguida. – Escute, sei que você é cheio de segredos, mas achei que havíamos passado dessa fase.

– E passamos. Não guardo segredo nenhum de você.

– Não, eu é que *sou* um deles. – Ela bufa com sarcasmo.

Anna olha para as janelas do refeitório, e, dessa vez, tenho certeza de que está se perguntando por que concordou em deixar esse cara complicado entrar na vida dela, tão livre de complicações.

– Olhe – falo –, em junho passado, quando fiquei preso em São Francisco sem conseguir voltar para cá, achei que nunca mais fosse ver você. Não sabia o que dizer aos meus pais ou aos meus amigos.

Anna me lança um olhar severo e balança a cabeça.

– Todo mundo na *minha* vida sabe sobre você, por mais que não conheçam seu grande segredo. – Ela usa um tom sarcástico nessa última parte, fazendo aspas no ar com os dedos para enfatizar seu comentário. – Ninguém aqui entende. Ninguém entende por que estou em um relacionamento com um cara que mora a mais de três mil quilômetros de distância, sendo que não sabem nem a metade da história. – Ela bufa. –

Mas sabem que *você* existe. Eu nunca conseguiria esconder a sua existência. – Ela fala essa última frase em voz baixa, mas eu escuto.

Esfrego minha testa com a ponta dos dedos enquanto tento encontrar as palavras certas.

– Não queria magoar você. E, juro, ia contar a eles em algum momento, mas foi mais fácil... não fazer isso.

Ela me encara novamente com aquela expressão séria.

– Mais fácil? – pergunta.

Tenho certeza de que ela vai me bater.

– Não falei mais *conveniente*. Falei mais *fácil*. – Levo a mão ao peito. – Para *mim*. Olhe, você parece gostar de se torturar com álbuns de fotos e coisas que lembram nós dois, mas eu não. Isso só deixa tudo mais difícil. Para mim, é mais *fácil* fingir que você não é real quando não estamos juntos.

Uma lágrima escorre por seu rosto e ela se apressa para secá-la.

Seguro suas mãos, e fico um pouco surpreso quando Anna não tenta se desvencilhar.

– Tem ideia de como odeio ficar lá sem você? Quando eu devia estar fazendo o dever de casa, saio dirigindo. Abaixo a capota do jipe, ligo o som e dou uma volta na cidade que sempre amei, a cidade que quero tanto mostrar para você. Quero levar você à minha cafeteria favorita em North Beach, onde servem a bebida em tigelas, em vez de canecas. Quero mostrar para você o órgão construído nas pedras de onde tem uma vista insana de Alcatraz. Quero ir ao colégio e apresentar você para Sam e todos os meus amigos, para que você conheça todos eles como conheço Emma, Danielle e Justin. Mas *não posso* fazer nada disso. – Ela aperta minha mão. – Já tentamos e foi um desastre. Acho que decidi que, quanto menos coisas me lembrassem que você não pode estar lá, mais fácil seria.

Anna solta minhas mãos para enxugar suas lágrimas.

– Escute – continuo –, tudo que eu quero é ter um relacionamento normal com você, e quando estou aqui, sinto que temos. Mas quando estou lá... sinto saudade. O tempo todo.

Ela segura uma das minhas mãos de novo e aperta com força.

– Vou contar a eles sobre você, está bem? Vou mostrar o álbum de fotos para os meus pais e contar tudo. E vou explicar que parei de mudar os fatos, que é justamente o que me faz perder o controle, e que preciso continuar voltando aqui para ver você. Tudo bem? Prometo.

O sinal toca, mas nenhum de nós dois se mexe. Por fim, o refeitório começa a encher, e vejo todo mundo se sentando nos lugares e mesas de sempre, começando as mesmas conversas de sempre.

– Que ótimo – resmunga Anna olhando para o cenário lá embaixo.

– O quê?

– Aposto dez paus que Alex já contou para todo mundo que viu você aqui. – Ela se levanta e limpa a sujeira da calça jeans. – Isso vai render um almoço maravilhoso.

– Quer que eu fique? – pergunto.

Anna estende a mão para me ajudar a levantar, e eu aceito a ajuda. Depois ela me encara e suspira fundo.

– Tudo bem. Já entendi.

Começamos a descer a encosta, e ela entrelaça o braço no meu.

– Mas na próxima vez que estiver na cidade trate de me trazer um buquê de flores gigante ou alguma coisa assim. Se aparecer de mãos vazias, meus pais podem pensar em algo mais doloroso para fazer com você do que ser jogado de volta para São Francisco.

– Vai ser tão ruim assim?
– Vai.
– Não vi você com o vestido.
Ela ergue dois dedos.
– É a segunda vez.
Estremeço.
– Você usou o vestido de verdade dessa vez?
Ela levanta as sobrancelhas e assente devagar.
– Droga, sou *mesmo* um babaca.
– É. – Anna abre um sorriso triste e bate o quadril no meu.
– Mas não de propósito.

———

Exatamente cinquenta e cinco minutos depois que fui embora, abro os olhos dentro da cabine do banheiro masculino. Empurro a porta no mesmo instante em que a enxaqueca me ataca. Meus olhos ardem enquanto me aproximo da pia, cambaleando, me apoiando nas paredes.

Encontro a torneira, abro e aproximo a boca do jato de água. Bebo o mais depressa que consigo e o máximo que dá antes de unir as mãos e jogar água fria no rosto. As luzes fluorescentes me impedem de abrir os olhos e minha cabeça está latejando, mas tudo me parece familiar, pelo menos.

Apoio as mãos na bancada e mantenho a cabeça baixa, fico apenas respirando e me concentrando, desejando que a dor passe. Vinte minutos mais tarde, a dor de cabeça diminui, resumindo-se a uma leve pulsação nas têmporas.

E tudo volta ao normal. Bom, ao *meu* normal, pelo menos.

novembro de 2012

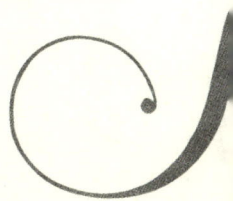

26

são francisco, califórnia

O som do meu celular me acorda de um sono profundo, então me viro para o outro lado, puxando o edredom sobre a cabeça para bloquear a luz do sol. Estou começando a pegar no sono outra vez, mas recebo outra notificação. Tateio a mesa de cabeceira, pego o aparelho e abro os olhos para ler as mensagens de Brooke.

> Bom dia!

> E aí, o que vc vai fazer hoje à noite?

Meus olhos ainda estão se ajustando à luz quando chega mais uma mensagem.

> Festa no nosso apartamento. Venha!

Fico encarando a tela enquanto considero o convite. Além do plano de encontrar meus amigos e ir ao Parque Lafayette mais tarde, não planejei nada para o fim de semana. Mas não é por causa de conflitos de agenda social que penso em não ir. Só tenho uma semana antes de ver Anna de novo, e não vou fazer nada que possa atrapalhar minha ida. Outra mensagem:

> Quero que minhas companheiras de apartamento conheçam vc!

Resmungo, apoiando a cabeça de volta no travesseiro. Ergo o celular para responder:

> Acho que é melhor eu ficar aqui.

Jogo o telefone sobre o edredom e fecho os olhos. Menos de cinco minutos depois, escuto o barulho de outra notificação. Espero ver outra mensagem exageradamente animada de Brooke, mas é de Sam.

> E aí?

Respondo:

> Dormindo.

Explico melhor, em seguida:

> Estava.

Dormir parece impossível agora, mas deixo a mão cair para o lado e largo o celular na cama outra vez. Estou cochilando tranquilo quando recebo outra mensagem, e mais uma em seguida. Suspiro e pego o telefone.

> Acorde.
>
> Vamos escalar.
>
> Ao ar livre.
>
> Em rochas de verdade.

> Venha me buscar em 20 minutos.

A luz do sol entra pela fresta das cortinas. Não escalo ao ar livre desde o verão passado. Logo vai começar a temporada de chuva, e Sam e eu teremos que nos contentar com a parede de escalada da academia. E isso parece tão... normal. Estou precisando de um dia de normalidade.

Eu me livro das cobertas e me obrigo a ir para o chuveiro. Dez minutos mais tarde, sinto como se tivesse tomado a decisão certa. Encho uma caneca para viagem com café, coloco minhas coisas no jipe e paro em frente à casa de Sam no horário combinado.

Não faço ideia de para onde vamos, mas ele já traçou todo o nosso destino e, antes que eu tenha tempo de sair da vaga, está programando o GPS. A rota começa com o trajeto até a Golden Gate Bridge e termina na base de uma montanha a três horas de viagem daqui.

– Vamos escalar em Donner? – pergunto ao parar em um sinal e estudar o mapa.

Sam dá de ombros de forma exagerada e aponta para a janela da frente.

– Já viu como o dia está bonito?

Ele me encara, sério, como se não pudesse acreditar que eu tenha sugerido outra coisa.

Viro a cabeça para ter uma visão melhor. É um dia típico da proximidade do inverno: céu muito azul, sol brilhante, vento frio. Piso no acelerador e abaixo o vidro, deixando o vento gelado invadir o carro enquanto seguimos para a colina perto da baía.

Depois do próximo sinal, viro à esquerda em uma rua residencial e paro o carro. Sam me olha de soslaio quando desço, mas logo entende o que estou fazendo. E quando isso acontece, ele também desce e me ajuda a baixar a capota do jipe. Nós a puxamos para trás e prendemos com a trava. Depois seguimos viagem.

Agora sim é uma viagem de carro.

Sam cruza os braços atrás da cabeça e reclina o banco do carona. Enquanto ele procura alguma música no meu iPhone, conversamos sobre a monitoria que vou começar a dar na próxima segunda. Vou trabalhar com aulas de reforço, como Sam. Ele me conta sobre as crianças e promete que vai me mostrar os mais bagunceiros e também os que parecem levar a sério a chance de estarem lá.

Fui muito bem na entrevista. O chefe da organização me ofereceu o emprego na hora. Mas já adiei meu início duas vezes, como se estivesse evitando esse projeto, e quanto mais Sam fala, mais começo a perceber que não estou interessado. Tem alguma coisa bem desanimadora nisso tudo.

Seguimos em frente até chegarmos à entrada da Golden Gate Bridge. Do nada, lembro-me da organização que encontrei enquanto pesquisava projetos de serviço comunitário. Aquela em Tenderloin, descendo a rua do prédio onde aconteceu o incêndio que, no fim, não matou as duas crianças.

Sem que eu consiga pensar duas vezes, as palavras saem da minha boca:

– Vou recusar o emprego, Sam.

– O quê? Você não pode recusar. Já aceitou.

Mantenho os olhos fixos no trânsito à minha frente.

– Eu sei. Mas vou desistir.

Sinto os olhos dele em mim.

– Você precisa fazer alguma coisa que se destaque no seu histórico escolar – insiste ele, mas eu confirmo que já tenho planos nesse sentido.

Quando atravessamos a ponte, conto a ele tudo que aprendi com o vídeo a que assisti na internet naquele dia, e a cada palavra que digo me sinto mais animado com a ideia de chegar em casa hoje à noite e me candidatar.

– Você que sabe. – Sam deixa a cabeça cair no apoio do banco e ergue os olhos. – Olhe só – diz ele quando passamos por baixo dos portais cor de laranja que emolduram a ponte. – Ah, a melhor parte...

Sem desviar os olhos do céu, ele deixa meu celular no console.

– Não é muito cedo para Jack White, é?

– Nunca é cedo demais para Jack White.

Ouço a primeira música da playlist que montei alguns meses atrás. É uma boa mistura de White Strips, Raconteurs, Dead Weather e solos do White. As quatro notas da guitarra anunciam "Sixteen Saltines".

Saltines. Biscoitos salgados. Sorrio ao me lembrar de Anna mordendo o canto de um e coloco a música no volume máximo.

Durante as três horas seguintes, enquanto seguimos para Donner, continuamos ouvindo muita música, falando pouco e parando só uma vez para almoçar. Tomamos milk-shake, enfiamos um monte de batata frita na boca de uma só vez, mas deixamos os hambúrgueres embrulhados para comer no topo da montanha.

Depois de entrarmos na área do parque que fica ao lado da rodovia, pegamos o equipamento e andamos a pé por trinta minutos até o início da primeira trilha. Nenhum de nós dois já esteve ali, e Sam está ansioso, falando sem parar sobre tudo que aprendeu durante a pesquisa que fez na internet na noite passada. Granito limpo. Muitas trilhas. Vistas incríveis do topo.

Na base da primeira rocha, eu me preparo. Amarro os tênis, prendo o saco de calcário na alça da calça e guardo o moletom na mochila. Abro uma barra de granola que peguei na despensa de casa antes de sair hoje de manhã e como em três mordidas. No fundo da mochila, apalpo a embalagem com seis garrafas mornas de Gatorade, depois abro uma e bebo em um gole só.

Olho em volta. Sam e eu somos os únicos ali. Ergo a cabeça e grito bem alto. Sam se sobressalta e reclama que levou um susto. Depois volta a ajustar o Velcro dos sapatos. O ar é fresco, o lugar é incrível, e mal posso esperar para apreciar a vista lá de cima. Eu não fazia ideia de como precisava disso.

— Quer que eu vá na frente? — pergunto, já prendendo os mosquetões.

Sam olha para a rocha lá em cima.

— Na verdade, esta é uma escalada boa para o solo. O que acha? Topa?

Penso um pouco. Não é das mais verticais, e os apoios parecem relativamente fáceis de ver, mesmo daqui de baixo.

— Tudo bem — concordo, devolvendo meu equipamento para a mochila.

— Você guardou os hambúrgueres?

Sam enrola a corda e a pendura em um dos ombros, depois prende o saquinho de calcário ao passante do cinto.

– Sim.

Bato na mochila menor que trouxe e a coloco nos ombros. Não estou com nenhuma fome. Só eufórico e cheio de energia.

Sam confere seu relógio de pulso.

– Fizemos um bom tempo de viagem. Ainda é meio-dia e meia.

A escalada começa fácil, e encontro sem problemas os apoios para pés e mãos. Ergo meu corpo, desvio para a esquerda e continuo. Sinto o granito frio e seco sob os meus dedos. Estou progredindo depressa pela trilha.

Depois de percorrer mais ou menos um quarto da subida, encontro um lugar bom para descansar. Encaixo a mão em um espaço largo da pedra e consigo encontrar uma fresta de bom tamanho para o pé. Relaxo um pouco os braços.

Dou uma olhada em busca de Sam. Ele está na minha frente e parece que está indo bem. Vejo sua mão agarrar uma saliência, e ele suspende o corpo até certa altura para descansar. Está só a uns três metros acima de mim, e consigo ver o suor brotando em sua testa e escorrendo por seu rosto. Ele se acomoda em uma posição que o permite soltar uma das mãos e levanta a barra da camiseta para secar o rosto.

Está na hora de continuar, então espalho calcário nas mãos outra vez antes de segurar o apoio seguinte. É tão pequeno que quase não consigo me sustentar, e em poucos segundos, os nós dos meus dedos ficam brancos e meus antebraços queimam com o esforço muscular. Encontro um apoio melhor a alguns centímetros e balanço o corpo para poder alcançá-lo, erguendo o corpo até uma saliência larga o bastante onde eu possa ficar em pé em cima. Paro e recupero o fôlego.

O cume da montanha está mais distante do que eu imaginava, e vai demorar para chegar lá. Não sei onde eu estava com a cabeça. Faz meses que não escalo ao ar livre, e por mais que essa devesse ser uma trilha fácil, começo a pensar que a escalada sem equipamento, ou solo, não foi uma boa ideia. Quando espalho calcário nas mãos, meus braços tremem de cansaço.

Volto a subir pela rocha, e pouco depois vejo Sam chegar ao topo. Paro e reflito sobre meus últimos movimentos enquanto ele fica parado lá em cima e, curvando o corpo para a frente, sorri para mim.

– Cara, minha mãe escala mais depressa que você.

Agarro os dedos ao redor do apoio com mais força, deixando a outra mão livre para acenar para ele. Sam ri e volta a suar e ofegar. Espero sentir a euforia que costuma me invadir nesse momento da escalada, mas cada movimento parece mais difícil do que deveria. Amanhã vou ficar muito dolorido.

Estou quase chegando. Mais um ou dois movimentos estratégicos, bem pensados, e estarei no topo. Respiro fundo mais uma vez e observo o próximo apoio. Mais um movimento, depois outro, e de repente estou chegando ao topo.

Respiro. Meus dedos agarram o granito.

– Caramba, finalmente. – Sam bebe um gole de Gatorade e confere o relógio no celular. – Já deu uma hora. Depressa, estou morrendo de fome.

Ergo o corpo e sinto a ponta da rocha cortar minhas mãos. Poeira e fragmentos de pedra caem nos meus olhos, e tateio às cegas, em busca de qualquer coisa a que me agarrar. Minha mão direita escorrega e seguro a pedra com mais força com a esquerda, que também escorrega.

Sam reage imediatamente, largando o Gatorade e se jogando de bruços. Suas mãos ultrapassam o limite da rocha, só que eu já não estou mais lá.

Meu rosto escorrega pela superfície e meu quadril bate em alguma coisa pontiaguda. O ombro se choca em alguma saliência, e isso diminui a velocidade da minha queda, mas só por um tempo. Meus dedos esfolados ardem e doem quando tento agarrar o granito.

Escuto Sam gritar lá no topo.

Espero desmaiar para não ter que enfrentar a dor da queda. De repente, sinto o quadril bater em algo duro e paro. Estou deitado em cima da plataforma onde parei pouco antes. É larga o bastante para me manter seguro, mas, mesmo assim, tento me agarrar a alguma coisa.

– Fique aí! – grita Sam, e eu simplesmente sorrio.

Ele desaparece lá em cima e continuo rindo, sem saber por quê. Talvez porque rir me impede de pensar em como meu coração está batendo acelerado ou em como minhas pernas parecem ser de borracha.

Alguns minutos mais tarde, ele reaparece lá no topo, deitado de bruços sobre a pedra, e vejo uma corda descendo, se balançando e se contorcendo, cada vez mais perto de mim. Olho para cima e deparo com o rosto de Sam. Ele está sério, com os olhos em pânico, as mãos tremendo demais enquanto controla a descida da corda.

Prendo a corda aos meus mosquetões. Sam grita:

– Aguente aí!

Depois ele desaparece por um minuto. Eu o imagino amarrando a outra ponta da corda às âncoras no topo, que some de vista. Ele volta e olha para baixo.

– Tudo bem. Você está preso. Consegui!

Sam ergue o polegar e se deita no chão de novo. Está tentando parecer corajoso, mas ouço a preocupação em sua voz.

Recomeço a subir, dessa vez com movimentos mais lentos, pensando bem antes de cada um, mais do que o costume. Tento não considerar a possibilidade de cair outra vez. Não olho para cima, mas sinto Sam se esforçando para manter a corda esticada.

Estou a poucos metros do cume quando Sam se deita novamente no chão e, ao me aproximar mais, estende a mão. Dessa vez, eu a seguro. Em seguida, ele me puxa para cima.

Nenhum de nós diz nada quando caímos deitados na pedra aquecida pelo sol, olhando diretamente para o céu. Nem sequer solto a corda da minha cintura. Apenas fica ali deitado. Por fim, levo a mão ao rosto. Minha bochecha está latejando, e meus braços foram profundamente arranhados. O lado direito do meu quadril dói quando tento me sentar, há um corte pequeno no meu ombro, e meus dedos estão cobertos de sangue.

– Você está bem? – pergunta Sam, com a voz ainda trêmula, e eu confirmo com a cabeça, sem olhar para ele. – Me dê sua mochila. – Sam estende a mão. Entrego a mochila, mas a alça raspa no corte em meu braço. Eu me encolho. Ele vasculha minhas coisas e, quando olho para cima depois de um minuto, está jogando Gatorade em um guardanapo de papel da lanchonete onde comemos. – A água está no fundo – diz, entregando-me o guardanapo. – Isso deve ajudar.

Lavo a sujeira do rosto e limpo meu braço. Sem dizer nada, estendo a mão para Sam, que joga o resto do Gatorade. Despejo um pouco mais em um canto limpo do guardanapo, bebo um grande gole, faço um bochecho e cuspo a bebida misturada com terra.

– Pelo menos você amassou o rosto, não os hambúrgueres – comenta Sam, rindo.

Ele pega na mochila pequena o hambúrguer de duas carnes que escolheu e joga a bolsa para mim. Pego outro Gatorade e bebo, Sam dá uma grande mordida no hambúrguer, e nenhum de nós dois fala enquanto apreciamos a paisagem. Dou algumas mordidas no sanduíche, mas, quando começo a pensar no que poderia ter acontecido, sinto meu estômago se revirar e perco o apetite.

E se eu tivesse caído de verdade? Nem pensei em alterar o acontecimento, foi tudo muito rápido, mas eu poderia ter feito isso. E se eu tivesse me concentrado em um tempo antes de começarmos a escalar a rocha, fechado os olhos e voltado? O que teria acontecido, se eu salvasse minha vida? Será que *conseguiria* fazer isso? Se sim, Sam teria visto tudo.

Do nada, penso em algo que falei para Anna uma vez. Quando eu invejava suas raízes profundas em Evanston e a vida normal que ela não via a hora de abandonar. Eu disse que, com exceção dos meus pais e da minha irmã, todo mundo que eu conhecia da minha cidade era, de alguma forma, temporário. Agora me sinto culpado por isso. Observo Sam mastigar o hambúrguer e limpar o molho do rosto, e lembro como ele se jogou no chão e se debruçou na beirada da pedra para me ajudar.

Sam não é temporário. Nunca foi. E penso que, por mais que não possa contar a ele meu maior segredo, talvez eu não devesse esconder tanta coisa do meu melhor amigo.

Terminamos de comer e jogo minha mochila, muito mais leve, afinal agora só tem embalagens vazias e lixo ali dentro, no chão lá embaixo. Uso a corda para descer, e Sam vem atrás de mim.

Recolhemos nossas coisas e seguimos para a próxima rocha, que acaba requerendo muito mais técnica. Por isso, quando

Sam se oferece para guiar o caminho, aceito imediatamente. Subimos por duas trilhas diferentes. Ao anoitecer, começamos a caminhada de meia hora de volta ao jipe.

Estamos andando em fila única, já quase no fim da trilha.

– Sam – chamo às suas costas.

– Hum? – responde ele tão baixo que quase não dá para escutar.

– Tem uma coisa que quero falar pra você faz tempo.

Ele continua andando, sem se virar.

Respiro fundo.

– Não fui fazer um mochilão pela Europa na primavera passada.

Ele vira a cabeça e olha depressa para mim. Depois se volta para a frente.

– Eu estava em Illinois.

– Ah...

– Morando com minha avó.

Não conseguir ver o rosto dele facilita muito.

– E quando estava lá, eu meio que... conheci uma garota.

Ele para de repente, e quase me choco com sua mochila. Sam se vira para mim com os olhos arregalados e cheios de surpresa.

– Por que foi morar com sua avó?

Olho para ele. Eu não esperava essa pergunta, por isso não tenho uma boa resposta.

– Eu só... estava cuidando de alguns assuntos de família. Era complicado, então precisei me afastar. – Não é a história completa, mas, até então, não é nenhuma mentira.

Sam franze a testa.

– Coop, todo mundo sabe que você estava se tratando numa clínica. – Depois para novamente e me lança um olhar penetrante. – Espere aí, conheceu a garota na *clínica*?

— Clínica? Por que eu estaria em uma clínica?

Minha mãe jurou que não tinha contado essa história ridícula para ninguém além da diretoria da escola. E Sam nunca me viu fumar, beber ou tomar algum comprimido. Mesmo que tenha ouvido algo do tipo, como pode ter acreditado? De onde ele tirou o que está me dizendo agora?

— Fala sério, por qual outro motivo você teria sumido no meio do ano letivo, desaparecido por três meses e, quando voltou, falado para todo mundo que estava viajando pela Europa? — Ele revira os olhos. Tem razão. — Além do mais, sua mãe falou para a mãe do Cameron que você estava fora "resolvendo alguns problemas". O que mais a gente poderia pensar?

Que ótimo.

Passo na frente dele e começo a andar pela trilha em direção ao carro. Não quero começar uma grande discussão sobre onde passei a última primavera, eu só pretendia contar a respeito de Anna. Estou cansado e podia ter morrido na escalada de hoje. E agora meu cérebro não está funcionando com a velocidade necessária para inventar novas mentiras e me ajudar a manter o disfarce. Toda essa história de mentir é cansativa, por isso decido que é hora de desistir, abrir o jogo.

— Olhe, não precisa acreditar em mim — falo sem me virar para trás —, mas eu não estava em uma clínica. Estava morando com a minha avó em Illinois, onde passei três meses e voltei. Agora vou visitá-la. E a Anna. — É bom falar o nome dela em voz alta.

Ouço os passos de Sam atrás de mim, mas ele não diz nada, nem eu. Quando chegamos ao carro, guardamos nosso equipamento em silêncio e entramos. Viro a chave na ignição, ligo o aquecedor e pego meu iPhone para escolher uma música.

Sam coloca o cinto de segurança.

– Foi por isso que ficou lá até o fim do semestre? – pergunta ele.

Não ergo os olhos, mas assinto.

– Por causa da Anna.

Inspiro com força quando escuto Sam dizer o nome dela e me viro para encará-lo.

– É, por causa da Anna.

– Que mora em Illinois.

– Infelizmente, sim.

Ele faz um gesto com a mão, como se me incentivasse a contar mais. Dou partida com o carro, começando a percorrer a estrada de mão dupla que leva até a base da montanha. Então começo a tagarelar.

Omitindo os detalhes sobre a década que visito, conto tudo sobre Evanston, Illinois e o que faço quando estou lá. Revelo toda a história desde março passado, quando cheguei à casa da minha avó e me matriculei em Westlake. Meia hora mais tarde, ele já sabe tudo sobre Emma, Justin, Maggie e os Greene. Anna tinha razão. Faz meses que não sinto os ombros tão leves.

Quando chegamos à base da montanha, Sam aponta para um restaurante que serve pratos de café da manhã vinte e quatro horas, e estaciono o jipe. Estou prestes a descer do carro, quando ouço o som de notificação do celular e o pego para ler a mensagem.

> Saudade.
> Vc vem no próximo fim de semana? Tem alguém que quero que conheça. :)

– Você pode entrar e pegar uma mesa para a gente? – sugiro a Sam. – Preciso responder a uma mensagem.

– De Anna? – pergunta ele, como se estivesse gostando de saber de tudo. Pelo menos não faz ideia de que isso é impossível!

– De Brooke. É só um segundo. Já vou entrar.

Sam fecha a porta do carro e entra no restaurante. Percebo que, por mais que eu sinta falta de Brooke, e por mais que eu queira contar a ela o que aconteceu hoje, fico feliz por não estar em Boulder nesse momento. Não consigo lembrar quando foi a última vez que quis estar exatamente onde eu estava.

Digito as palavras:

> Saudade também, mas no fim de semana não posso (Anna).

Um minuto mais tarde, ela responde:

> Chato.

Estou guardando o celular no bolso para ir atrás Sam, mas tenho uma ideia. Anna me falou que eu devia levar flores na próxima vez que me encontrar com ela, só que posso fazer ainda mais. Começo a digitar:

> Também quero que você conheça uma pessoa.
>
> Quer vir comigo?

novembro de 1995

27

evanston, illinois

— Caramba, está congelando ali fora! — Brooke puxa a perna para dentro do carro e bate a porta de volta. Ela aperta a jaqueta no corpo e treme.

— Na verdade, eu ia pedir para você esperar no carro. Tudo bem?

— Está brincando? Acabamos de fazer uma viagem de três horas, sendo que a última hora foi debaixo de uma tremenda tempestade e a temperatura lá fora deve estar menos seis graus.

Na verdade, a temperatura lá fora deve estar em menos doze graus, mas decido não contar isso a ela.

— Acho *ótimo* esperar no carro. — Brooke estende a mão aberta. — Chaves?

— O quê?

— A chave do carro. Aquecimento. Música. — E aponta para a ignição. — Chaves?

Entrego as chaves para ela e me viro para pegar o enorme buquê de flores que comprei no caminho.

– Vou estar por ali. – Aponto para a multidão reunida no campo cercado de tendas brancas. – Está vendo o cara de casaco azul? É o pai dela. Assim que Anna se aproximar da gente, espere dez minutos e vá para lá. Entendeu?

– Entendi. – Ela gira a chave na ignição, ajusta o aquecimento em trinta e dois graus e começa a procurar uma estação de rádio. Só interrompe a busca para me expulsar do carro: – Ande logo. Vou ficar bem.

Quando fecho a porta, escuto um tiro ao longe e sigo as placas que indicam a linha de partida. O pai de Anna ainda está conversando com outros pais, cada um deles segurando um copo térmico descartável de café em uma das mãos e um cronômetro na outra.

Paro no espaço vazio ao lado dele.

– Oi, sr. Greene – falo em voz baixa.

Ele se vira para mim. Mantenho o buquê de flores abaixado ao lado do corpo, mas visível.

Ele analisa meu rosto e fala:

– Você veio.

Depois olha para a pista de corrida e bebe um grande gole de café.

– Sim, senhor. Eu vim.

– Anna falou que você viria, mas não acreditei.

Ele observa minhas flores e leva o copo aos lábios novamente, inclina a cabeça para trás e bebe todo o café.

– Eu queria dizer pessoalmente quanto lamento pelo baile de volta às aulas. Eu teria vindo, se pudesse, mas... eu... – Paro, porque não consigo pensar em palavras que não sejam mentirosas.

Ele me encara.

– Por que não ligou?

Eu me remexo, nervoso. Estou procurando um jeito de explicar a situação sem ter que mentir, mas não sei como.

— Sabia que ela passou uma hora com aquele vestido esperando por você? E você nem *telefonou*. Como pôde fazer isso com ela? — Ele não grita, mas acho que teria sido melhor se gritasse.

Teria sido mais fácil do que enfrentar o desprezo contido, a decepção e a amargura em sua voz. É quase insuportável, quase o suficiente para me levar a contar tudo, todos os meus segredos, tentar fazê-lo entender por que desapareci e deixei a filha dele esperando, sendo que essa era a última coisa no mundo que eu queria ter feito.

— Nem consigo explicar como estou arrependido. Sei que eu... a decepcionei.

Ele deve estar percebendo que o remorso na minha voz é sincero, porque seus olhos ficam mais suaves, mas só por alguns segundos. Em seguida, ele se afasta sem dizer mais nada, e acho que a conversa chegou ao fim. Mas ele joga o copo vazio no lixo e volta.

Seu olhar severo reaparece.

— Meu problema, Bennett — diz ele, finalmente —, é que você *continua* decepcionando minha filha. E por alguma razão que a mãe dela e eu não entendemos, ela aceita.

Sinto meu rosto se contorcer. Não achei que eu pudesse me sentir pior do que quando contei a Anna que ela ainda era um segredo.

As pessoas iniciam a formação, posicionando-se dos dois lados da fita amarela e formando um caminho entre o limite da floresta e a linha de chegada. O sr. Greene confere o relógio de pulso e diz:

— Ela deve chegar em alguns minutos.

Fico achando que ele vai se juntar aos outros pais, mas, em vez disso, respira fundo e olha para mim.

— Escute, não vou fingir que entendo esse relacionamento de vocês dois. Ela não parece se incomodar com a distância de mais de três mil quilômetros, ou com o fato de só poder ver você de vez em quando, mas eu me incomodo. Não tinha problema quando você morava aqui na cidade, mas isso é ridículo. Acha mesmo que vai conseguir levar adiante?

Seguro o buquê de flores com mais força.

Ele aponta para a linha de chegada.

— Lá vem elas — diz, afastando-se de mim e indo à procura de um lugar entre os outros pais.

O sr. Greene aplaude e grita com a voz retumbante e grave, embora ainda não tenha aparecido nenhuma corredora. Quando Anna surge, ele passa para outro nível de reação. Chego mais perto para vê-la melhor, mas mantenho uma distância segura dele.

Três corredoras aparecem ao mesmo tempo, Anna em terceiro, mas logo atrás da segunda colocada. Ela a ultrapassa facilmente e aumenta a velocidade. Seus pés se movem tão depressa que se tornam um borrão, os braços ajudam a dar impulso, e ela tem uma expressão determinada que nunca vi.

— Vai, Annie! — grita o sr. Greene. — Vai! Acelere! Vamos lá!

Agora consigo ver os olhos dela fixos na fita amarela. Anna se aproxima da primeira colocada, mas está ficando sem tempo para alcançá-la. Quando ela encosta, a outra corredora aumenta a velocidade. Anna consegue passar na frente dela bem no final da corrida. Ela rompe a fita primeiro e levanta os braços.

O sr. Greene ainda está gritando, mas para de repente e aperta alguns botões no relógio.

— Isso! — berra ele.

Anna está do outro lado da faixa, com o corpo curvado para a frente e as mãos apoiadas nos joelhos, mas depois de um tempo ela se levanta e começa a andar em círculos, esforçando-se para recuperar o fôlego. Depois para perto da menina que quase a venceu e estende a mão para cumprimentá-la.

As companheiras de equipe a cercam e começam a pular, escondendo-a de nós. Alguns minutos mais tarde, Anna reaparece no meio do grupo e olha em volta, talvez procurando o pai. Ele a vê e acena com entusiasmo.

Anna vem correndo em nossa direção. Seu pai anda para a frente e para trás como se fosse difícil esperar para pegar a filha nos braços, como se tivesse seis anos, não dezesseis.

— Viu aquilo? — pergunta ela. O pai ergue a mão e bate na dela, fazendo um cumprimento satisfeito. — Cara, eu tive que dar o máximo de mim no final!

Seus tênis estão cobertos de lama, e, quando ela se aproxima, vejo que também está toda respingada de barro.

— Essa é minha garota! — Ouço o sr. Greene dizer ao lhe dar um abraço apertado.

Ela o beija no rosto e é abraçada com mais força ainda, até que abre os olhos e me encontra parado ali.

Anna se afasta do pai.

— Oi — diz.

— Oi. — Ofereço o buquê de flores, e os olhos dela brilham. Depois Anna esconde o rosto com as mãos e diz: — Eu estava brincando sobre as flores!

O sr. Greene pigarreia, ela olha para ele e assente uma vez, como se o estivesse dispensando, mas ele não se mexe.

— Pai.

– Tudo bem. Vou conferir o seu tempo – responde ele, nos deixando sozinhos.

– Seu pai está furioso comigo – comento ao vê-lo se afastar. Meu coração acelera e minhas mãos tremem quando dou as flores para ela. – Acho que isto não ajudou muito.

– Obrigada de qualquer jeito. Adorei. – Ela pega o buquê com uma das mãos e toca minha bochecha com a outra. – O que aconteceu com o seu rosto?

– Eu me machuquei escalando. – Cubro a mão dela com a minha e beijo sua palma. – Também trouxe outra coisa para você.

– Ah, é? – Ela olha por cima do meu ombro como se tentasse ver o que estou escondendo. – Cadê?

– Está no carro. Eu esperava levar você para casa. – Anna parece confusa, por isso continuo falando: – Pensei muito sobre o que falou na última vez que estive aqui, e você tinha razão. Devia conhecer minha família. E quero que eles conheçam você. – Noto ela enrugar a testa. – Vou começar por Brooke.

– Brooke?

– É. Ela está no carro.

Aponto para trás de mim, para o estacionamento. Meu rosto se ilumina com um grande sorriso, e espero que ela faça o mesmo, mas o que aparece é uma expressão horrorizada.

– No *carro*? Não posso conhecer Brooke *agora*. Não estou... é que...

Sua camiseta está encharcada de suor, e o barro respingou em seu rosto. Ela solta o rabo de cavalo, afasta o cabelo do rosto e os prende de novo, arregalando os olhos para alguma coisa que vê por cima do meu ombro.

– O que foi?

– Oi!

Ouço a voz de Brooke atrás de mim. Esqueci que tinha pedido para ela esperar dez minutos e vir me encontrar. Devia ter falado para ficar lá até que eu fosse chamá-la. Devia ter dado mais tempo para Anna se acostumar com a ideia. Surpreendê-la desse jeito agora me parece egoísta.

– Oi. – Anna olha para as próprias roupas e balança a cabeça. – Uau... Eu esperava conhecer você quando estivesse mais... limpa.

Brooke balança a mão no ar, como se desprezasse o comentário de Anna.

– Não se preocupe – diz ela. Mas fica ali parada, sem jeito, cruzando e descruzando os braços, enquanto tenta pensar em mais alguma coisa para dizer. – Estou muito animada com essa viagem de carro. Passei alguns meses morando em Chicago, só que não conheço mais nada de Illinois.

– Tem um bom motivo para isso – diz Anna.

Ela ri de nervosismo e volta a olhar para Brooke, como se ainda tentasse acreditar que está ali parada diante dela.

Então o pai de Anna retorna e eu apresento os dois.

Brooke está saltitando no lugar quando estende a mão.

– É um prazer finalmente conhecê-lo, sr. Greene. Bennett me contou tanta coisa sobre a sua família – diz ela, ainda sacudindo a mão dele, de forma que o pai de Anna olha para baixo como se estivesse se perguntando se minha irmã pretende soltar sua mão em algum momento.

– É um prazer conhecer você – responde ele, olhando rapidamente em minha direção. – Também já ouvimos muito sobre você. Fico feliz por vê-la com tanta saúde.

Brooke faz uma careta e abre a boca para falar alguma coisa, mas olha para mim antes e entende a expressão no meu rosto que diz *apenas concorde com tudo*.

Depois assente e comenta:

– Obrigada. – E solta a mão dele.

Quando o sr. Greene desvia o olhar, Brooke me encara séria.

– Tem um repórter local entrevistando a equipe – avisa o pai de Anna, apontando para uma das tendas brancas identificada por uma placa com a logomarca da Associação das Escolas de Ensino Médio de Illinois. Reconheço algumas colegas de equipe de Anna e o treinador. – Você devia ir se juntar a elas.

Ele olha para mim, depois novamente para Anna. Tudo, da sua expressão ao jeito que cruza os braços, deixa claro que ele não me quer aqui.

– Já volto – fala Anna para mim e Brooke, e depois acrescenta para o pai: – Vou pegar carona com eles de volta para casa, tudo bem? Mas vou com você até o hotel para tomar um banho antes.

– E a loja? – Ele está falando com Anna, mas seus olhos estão fixos em mim, o rosto vermelho e inexpressivo. Quase consigo ver seu sangue fervendo. Finalmente, o sr. Greene desvia o olhar e respira fundo. – Só preciso de você por uma hora – diz à filha. – Não posso fechar no meio do dia.

Ela e o pai trocam um olhar significativo, e tenho a sensação de que nas últimas semanas fui assunto de várias discussões tensas na casa dos Greene. Depois de mais alguns segundos desconfortáveis, ele volta a me encarar, ainda de braços cruzados e com a testa tensa.

– Ela tem que estar na loja às três horas.

– E estará – respondo.

O sr. Greene se volta para Anna, apontando para as flores na mão dela.

— Quer que eu leve isso para casa e coloque na água? — Seu rosto relaxa, e ela sorri agradecida quando entrega o buquê a ele.

Quando os dois se dirigem à tenda onde acontece a entrevista, Brooke dá um soco forte no meu braço.

— Ai — reclamo. — Para que isso?
— Por nada. Só para mostrar que minha saúde está ótima.

Rio e massageio o local do braço em que ela me bateu.

— Ah, acho que é melhor contar essa parte da história.

Brooke e eu esperamos no carro na frente do hotel e, finalmente, vemos Anna sair pelas portas duplas. Ela entra no lado do carona, que está com a porta aberta. Ainda tem o cabelo molhado e cheira a sabonete.

— Tanto lugar para ir no mundo, e você quer passar três horas dirigindo de Peoria para Evanston.
— Vai ser divertido.
— Divertido?
— É, divertido. Na verdade, Brooke e eu planejamos uma viagem que vai nos levar para um território completamente novo nas próximas três horas. Vamos seguir pela rota turística.
— Não tem rota turística nenhuma daqui para o Lago Michigan. Confie em mim.
— Não é verdade. Vamos passar por dezoito lagos na próxima hora.
— Sério?

Confirmo orgulhoso com a cabeça.

— Aposto que você nunca esteve em Oglesby — digo. — Anna ergue as sobrancelhas para mim. — Nunca, não é? E no Parque

Estadual da Rocha Faminta? – Ela está tentando não rir. – Sabia que as rochas podem morrer de fome? – Balanço a cabeça como se a ideia fosse absurda.

– Como conhece esses lugares?

Não posso contar que passei a última semana pesquisando essa viagem na internet, por isso faço uma piada:

– *Lonely Planet: Illinois*. O que foi? Nunca ouviu falar disso também?

Ela me encara.

– Acho que você devia começar a dirigir – responde, e eu sigo pela Rota 29.

Anna dobra a perna sobre o corpo e se vira de lado para observar Brooke no banco de trás.

– Então... me conte tudo sobre você – diz.

As duas não param de falar pela próxima hora, e eu nem tento interferir.

⌒

Encontro uma lanchonete com vista para Fox Lake, e nós três paramos para esticar as pernas. Lá dentro, a recepcionista nos acomoda em uma mesa com vista para a água, e Anna e eu nos sentamos lado a lado, com Brooke na nossa frente.

– Café? – pergunta a garçonete ao entregar um cardápio para cada um de nós.

Aceitamos, e ela volta com três canecas fumegantes. Brooke e Anna estendem ao mesmo tempo a mão para o leite, então eu caio na risada.

Damos uma olhada no cardápio, e a garçonete volta para anotar nosso pedido.

— Vou querer o especial, por favor. — Anna é a primeira a anunciar. Logo encontro a opção no cardápio: ovos, batatas, bacon e torrada. — E ovos mexidos, por favor.

— Vou querer a mesma coisa — falo.

Brooke suspira fundo quando a garçonete pergunta o que ela quer.

— Omelete vegetariano, mas só com as claras, por favor. Sem acompanhamento de bacon ou linguiça. E torrada integral. Sem manteiga, por favor.

A garçonete fica olhando fixo para ela.

— Só a clara dos ovos? — pergunta, hesitante.

Brooke assente.

— Sem as gemas?

Ela franze a testa e inclina a cabeça.

— Isso mesmo.

A garçonete balança a cabeça e anota.

— Vou ver o que o cozinheiro pode fazer.

Quando ela se afasta, Brooke olha para mim e ergue as mãos.

— Parece que ela nunca ouviu falar em omelete de claras.

— Você está em 1995 — lembro.

— No meio de Illinois — acrescenta Anna.

Ponho o braço ao redor dos ombros de Anna, e ela beija meu rosto. Nós nos entreolhamos por um momento, e tento interpretar sua expressão.

— Você está bem? — pergunto.

Ela pensa um pouco. Depois confirma com a cabeça.

— Com certeza.

— Que bom. — Dou um selinho nela.

— Vocês vão parar com isso quando a comida chegar, não vão? — pergunta Brooke.

Pego um sachê de açúcar no cesto em cima da mesa e jogo nela.

Brooke o segura no ar e devolve ao cestinho.

— Tão infantil — comenta, balançando a cabeça. Depois dá risada e apoia as mãos na mesa. — Muito bem, não aguento mais segurar. Tenho uma novidade.

Anna e eu nos entreolhamos, depois nos voltamos para minha irmã.

— Conheci um cara. O nome dele é Logan, e veio da Austrália. Tem um sotaque muito fofo. — Ela parece especialmente orgulhosa desse detalhe.

Anna me olha de soslaio e se inclina sobre a mesa.

— Onde conheceu ele? — pergunta, e o rosto de Brooke se ilumina de novo.

Ela quica na cadeira e se curva para a frente, imitando a pose de Anna.

— Foi no show do Train.

Pigarreio.

— Cuidado... — digo.

Brooke ergue as mãos.

— Qual é? Eles existem há séculos!

Levanto as sobrancelhas.

— Não tanto quanto você pensa.

Minha irmã suspira.

— Entendi. — E recomeça escolhendo as palavras com mais cuidado. — A gente se conheceu num show em Red Rocks. — Ela olha para mim em busca de aprovação, e balanço a cabeça para que ela continue. — Ele estava lá com os amigos, e eu fui com as meninas que moram comigo: Shona e Caroline. Shona reconheceu um dos amigos dele, porque faziam uma aula juntos na faculdade, e os dois começaram a conversar. Logo estávamos todos juntos esperando o início do show. Um garoto perguntou se a gente não queria se sentar com eles.

Ela faz uma pausa para recuperar o fôlego e beber um pouco de café.

– Logan se sentou ao meu lado e começamos a conversar. – Ela sorri. – Ele também adora música. – E se inclina na minha direção. – Queria muito contar a ele que estive em Sydney para ver um show do Maroon 5 em 2008.

– De novo – observo.

– Ah, é. – Ela se aproxima de Anna e dá uma piscadela. – O vocalista é um *gato*.

Chuto sua canela embaixo da mesa, e ela ri.

– Conversamos durante o show inteiro, e no meio do segundo bloco ele se aproximou de mim e perguntou de um jeito muito fofo, meio tímido, se eu tinha namorado. É claro que eu falei que não. E senti que ele queria me beijar, sabe? Mas ele não beijou. Continuamos dançando, encostando um no outro, essas coisas, mas ele não tentou nada.

A garçonete chega e coloca nossos pratos na mesa. Brooke olha para sua omelete, que parece totalmente normal, e depois para a garçonete.

– Obrigada – diz. Depois pega o garfo e começa a tirar todos os vegetais. – No fim da noite trocamos telefones e nos despedimos, e todo mundo seguiu direções diferentes no estacionamento. Mas depois eu o escutei chamando meu nome. – Ela sorri. – Eu me virei, lá estava ele, e perguntou se podia me dar um beijo de boa noite. Não é fofo?

Brooke se inclina sobre a mesa, e Anna faz o mesmo.

– Ele beija muito bem.

Olho para Anna. Ela está dando um sorriso tímido, e percebo o rubor subindo por seu rosto outra vez. Ela pega uma fatia de bacon e põe na boca.

– Saímos na noite seguinte e... adivinhe só? Ele mora a um quarteirão de mim. Dá para acreditar? Não nos desgrudamos desde então. Vamos juntos para o campus de bicicleta, almoçamos juntos, e somos ridiculamente fofos. – Brooke faz uma pausa, recupera o fôlego e dá uma mordida na torrada. Depois suspira. – Já estou com saudade dele.

Olho para minha irmã e sinto inveja. Anna e eu nunca saberemos o que é morar a um quarteirão de distância. Nunca vamos organizar nossos horários de aula para irmos juntos ao colégio, e nunca vamos nos encontrar no campus e ficar atordoados por esbarrarmos inesperadamente um no outro no corredor. Ainda nem faz um dia inteiro que Brooke viu o cara... Ela não faz ideia do que é sentir saudade de alguém.

Mas, se está pensando a mesma coisa, Anna não demonstra.

– Ele parece ótimo. – Depois pega o garfo e acrescenta: – Estou morrendo de fome. – E começa a comer seu café da manhã.

28

Passamos as horas seguintes na estrada. Paramos no Starved Rock State Park, o Parque Estadual da Rocha Faminta, como brinquei antes, e fazemos as trilhas, apreciamos as formações rochosas e as cachoeiras. Anna não fala nada, parece exausta, e de repente percebo que este não deve ser o melhor momento para uma caminhada. Depois de quarenta e cinco minutos visitando o lugar, sugiro voltarmos para Evanston, e ela parece ficar aliviada.

Quando chegamos à livraria, ainda são só suas duas e meia, e o centro da cidade está movimentado. Só encontro uma vaga para estacionar no quarteirão seguinte.

— Isso é perfeito — comenta Anna quando paro o carro em um espaço apertado na frente do parque. — Podemos passar na cafeteria e comprar um latte.

Saímos do carro e coloco algumas moedas no parquímetro. Lá dentro, procuramos nosso sofá no canto, e Anna e Brooke se sentam de frente uma para a outra. Anna começa a contar para minha irmã quais bandas tocam aqui nas noites de domingo, enquanto vou fazer nossos pedidos ao barista.

Ficamos ali sentados por um tempo, e percebo que Anna está enrolando para não ir embora. Ela olha várias vezes para o relógio, até que, por fim, não pode mais evitar e se despede de Brooke. As duas se abraçam, trocam mais algumas palavras, e Brooke me faz prometer que a trarei aqui de novo em breve.

Depois que Anna vai embora, minha irmã e eu continuamos ali tomando café e conversando sobre o dia.

— Nossos pais iam gostar dela — comenta Brooke.

— É. — Suspiro, demonstrando cansaço. — Assim que superarem o fato de que ela mora na rua da casa da nossa avó. — Reviro os olhos. — E que estuda no colégio onde nossa mãe se formou. E que se tornou uma amiga próxima de Maggie. Mas, sim, logo que superarem tudo isso, aposto que vão gostar dela. — Deixo meu café em cima da mesa, me recosto no sofá e olho para o teto. — Tenho que contar para eles amanhã, quando voltar para casa. — Deixo a cabeça cair para o lado e olho para Brooke. — Vão me matar.

— Não vão, não. Talvez não entendam totalmente, mas o que vão fazer? Além do mais, pense em como seria legal não ter que sair escondido.

Eu me esforço, mas faço isso há tanto tempo que não consigo imaginar nada diferente.

Brooke joga a cabeça para trás ao beber mais um gole de café, depois deixa a xícara ao lado da minha em cima da mesa. Nenhum de nós dois fala nada, mas sabemos que ela tem que ir embora.

Ela me segue pelo corredor que leva aos banheiros, passando pelo barista, e vou conferir o banheiro masculino, enquanto ela fica do lado de fora. Assim que verifico que está vazio, abro um pouco a porta e aceno para ela entrar.

Tranco a porta e, sem dizer nada, Brooke segura minhas mãos. Balança os braços com força como sempre faz, depois me dá um beijo na bochecha.

— Muito obrigada.

— Disponha — respondo, o que não é totalmente verdade, mas parece ser a coisa certa a dizer.

Ela fecha os olhos, e eu faço o mesmo. Quando abro os meus, estamos no quarto de Brooke, exatamente onde a peguei hoje de manhã.

— Ainda quero que você conheça todo mundo — comenta ela, e prometo que vou tentar.

Depois fecho os olhos e, quando os abro, estou sozinho no banheiro.

Não sei bem o que fazer na próxima hora, enquanto Anna está no trabalho. Saio da cafeteria e começo a andar em direção à loja de discos, mas uma ambulância vira na esquina e passa acelerada por mim, com a sirene ligada e as luzes piscando. Eu estava prestes a atravessar a rua, até que vejo a ambulância parar na frente da livraria.

Saio correndo para lá.

Quando chego à frente da loja, os paramédicos estão empurrando uma maca pela porta, afastando a multidão que já começa a se formar do lado de fora. Entro atrás deles.

— Anna! — grito assim que entro, mas não a encontro em lugar nenhum.

Continuo seguindo a maca, que percorre o corredor de livros de culinária.

E é lá que a encontro. Anna está sentada no chão, amparando o pai que caiu sobre as estantes e está com uma das pernas dobrada num ângulo estranho. Um dos paramédicos tenta afastar Anna, mas ela o encara apavorada e se recusa a sair dali.

— O que aconteceu com ele?! — grita.

— Não sei. — Escuto o paramédico responder. — Preciso que você se afaste para que eu possa descobrir. Por favor.

Corro para perto dela.

Quando me vê, Anna segura o braço do pai com ainda mais força, mas me ajoelho ao seu lado e a puxo para mim.

— Venha cá — digo. Minhas mãos tremem quando seguro as dela. — Deixe eles ajudarem seu pai.

Olho para o sr. Greene. Ele está com os olhos arregalados e vidrados, e olha fixo para a frente. Depois sua cabeça cai lentamente para um lado, e ele me encara, piscando devagar.

Anna se vira para mim, depois para o pai, e de novo para mim. Por fim, solta o braço dele e me permite afastá-la da cena. Os paramédicos colocam o sr. Greene deitado no chão e começam a trabalhar para trazê-lo de volta de onde quer que esteja.

— O que aconteceu? — pergunto a Anna.

— Não sei. Quando cheguei na loja, achei que ele não estivesse aqui. — Sua voz sai trêmula, e ela está ofegante, por isso as palavras acabam entrecortadas. — Dei uma volta pelos corredores até que o encontrei. — Ela aponta para o pai. — Não sei quanto tempo faz que ele está desse jeito, Bennett. Não tenho ideia do que aconteceu.

Justin deve ter ouvido as sirenes em frente à loja de discos, porque entra correndo e olha em volta, apavorado. É evidente que ele fica aliviado ao ver Anna, mas sua expressão muda de novo quando ele percebe que os paramédicos estão reunidos em volta do pai dela.

— O que aconteceu? — pergunta ele, e nenhum de nós sabe o que dizer.

— Eu encontrei meu pai desse jeito — fala Anna, que está chorando, e repito que vai ficar tudo bem, mesmo sem saber se é verdade.

Um dos paramédicos se levanta e vem em nossa direção. Ele olha diretamente para Anna.

— Vamos levá-lo para o hospital Northwestern Memorial.

— Minha mãe trabalha lá — responde Anna em voz baixa. — Ela é enfermeira. — Depois olha para mim. — Temos que encontrá-la — sussurra.

Antes que eu possa dizer alguma coisa, Justin fala:

— Eu cuido disso.

E segue até o telefone na sala dos fundos.

O paramédico pega uma prancheta e uma caneta presa a um fio de náilon.

— Você esteve com ele hoje mais cedo?

Atrás dele, os outros dois paramédicos ligam máquinas ao peito do sr. Greene e o levam para a maca.

— Hoje de manhã — responde Anna com voz fraca e baixa. — Ele estava bem.

O homem anota a informação.

— Que horas o viu pela última vez?

Dessa vez ela fala mais alto:

— Por volta das dez. — E desvia o olhar.

Não sei se ela está pensando o mesmo que eu, mas tenho que perguntar:

— O que teria acontecido se o tivéssemos encontrado mais cedo?

O paramédico balança a cabeça.

— Ainda não sabemos nada. Não posso dizer.

— O que teria acontecido? — repito.

– Não sei. Talvez tivessem percebido que havia alguma coisa errada. – Ele olha diretamente para mim. – Olhe, vamos levá-lo para o hospital e descobrir o que aconteceu, está bem?

Os outros dois paramédicos fazem um sinal para ele, e o paramédico fecha o bloco de anotações e se dirige à porta.

– Você pode ir com a gente até o hospital – diz a Anna. E para mim: – Sinto muito, mas só membros da família. – Ele se volta para ela. – Pode me acompanhar.

Anna tenta segui-lo, mas eu a seguro com mais força.

– Venha comigo. Vamos seguir logo atrás da ambulância.

O paramédico semicerra os olhos quando se dirige a Anna.

– Vai deixar seu pai sozinho na ambulância?

– Estaremos bem atrás de vocês – insisto.

Os outros paramédicos passam por nós empurrando a maca para o veículo, e ele balança a cabeça para mim com desgosto antes de seguir os colegas.

Afasto alguns curiosos para fora, e o sino na porta toca quando a fecho com força e a tranco.

As sirenes se afastam estridentes, as luzes vermelhas e rodopiantes se afastam. Seguro a mão de Anna e a levo para o outro lado da livraria. Passamos pelo balcão da frente, e noto as flores que comprei para ela hoje de manhã. Estão em um vaso. Na água. Exatamente como ele prometeu. Respiro fundo.

– Vamos voltar para de manhã. – Justin está na sala dos fundos, mas, assim mesmo, falo baixo. – Escute o que estou dizendo, ok? Temos que voltar até de manhã. Ao hotel. Foi o único momento do dia em que não estávamos em movimento, nem à vista de um monte de gente. Não vou conseguir programar direito de outra forma.

Anna não se mexe nem fala nada.

– Vamos voltar para as dez e quinze, logo antes de você deixar seu pai no hotel. Mas você vai para casa com ele, e assim terá três horas para ficar de olho se... por acaso... aparecer algum sinal, caso aconteça alguma coisa.

Ela pisca algumas vezes.

– E se voltarmos e nada tiver acontecido?

– Não sei, diga que não está se sentindo bem, que está com falta de ar, invente alguma desculpa para passar pelo hospital e encontrar sua mãe. Faça o que for preciso, mas leve seu pai para o hospital.

Anna assente.

– Lembra onde ele parou o carro?

Ela pensa por um instante.

– Lembro.

Anna está branca como um fantasma e tremendo.

– Vai ter que se controlar, está bem? Não se preocupe. Vamos consertar as coisas.

A imagem de mim mesmo caído em uma poça de sangue, preso sei lá onde ou quando, surge em minha mente. Eu a ignoro. Os efeitos colaterais não importam. Tudo o que interessa é fazer Anna voltar para de manhã.

Apoio a testa na dela. Nem preciso pedir para ela fechar os olhos. Antes que eu faça o mesmo, penso na manhã de hoje e tento me concentrar em uma imagem mental do hotel em um momento específico, quando puder deixar meu outro "eu" desaparecer sem qualquer perturbação. Imagino a entrada circular para carros na frente do prédio onde Brooke e eu buscamos Anna de manhã e...

– Brooke.

Não queria ter dito o nome dela em voz alta, mas devo ter falado, porque Anna abre os olhos e me encara. Solto as mãos dela e esfrego as têmporas com a ponta dos dedos.

– O que vai acontecer com Brooke? – pergunto.

Ela estava comigo o tempo todo. Se Anna e eu voltarmos sem ela, o que acontece? Será que minha irmã também desaparece? Se estiver no carro quando eu retornar, o que faço com ela? Se não estiver, para onde teria ido?

Tenho que voltar um pouco mais. Preciso ir para o começo da manhã, antes de buscar Brooke. Seguro as mãos de Anna novamente, mas, dessa vez, não é por termos um destino. Sem pensar, começo a falar alto tudo o que está passando por minha cabeça.

– Não sei direito como fazer isso. Não está claro, como nas outras vezes. E vai... interferir em muitas coisas. – Quase não tenho tempo de concluir minha frase quando Justin aparece no final do corredor, aproximando-se de nós.

– Ah, aí estão vocês. Encontrei sua mãe – conta ele para Anna. – Ela ainda está no hospital. Tenho que levar você para lá.

Anna solta as mãos das minhas e segue Justin para a porta. Quando ele passa o braço sobre os ombros dela, Anna para e olha para trás. Continuo parado exatamente onde me deixou.

– Não vem com a gente? – pergunta Anna.
– Vou.

Enfio as mãos nos bolsos e sigo os dois, ainda pensando na manhã que passou, tentando desesperadamente encontrar uma brecha.

O carro de Justin está parado do outro lado da rua, na esquina da loja de discos. Ele abre a porta para Anna, que se senta no banco da frente, enquanto me acomodo no de trás. Nunca me senti tão impotente.

Quando paramos em um sinal fechado, Anna aponta para a janela e olha para Justin.

– Pode parar, por favor?

Justin atravessa o cruzamento, para no quarteirão seguinte, Anna sai do carro, abre a porta de trás e se senta ao meu lado. Ela apoia a cabeça no meu ombro e sussurra no meu ouvido:

– Não posso deixar você voltar.

Olho para o retrovisor e encontro o olhar de Justin. Ele fica me encarando por um instante, depois pisa no acelerador.

29

A sra. Greene nos vê assim que entramos na sala de espera da UTI, e nós três paramos quando ela pula da cadeira e atravessa a sala correndo em nossa direção, ainda de uniforme.

Ela abraça Anna com força e a leva para longe de nós, voltando para as cadeiras no canto da sala, onde a enche de perguntas. Anna parece calma enquanto conta à mãe tudo o que aconteceu, desde que ela e o pai saíram de casa na noite anterior até os diversos acontecimentos que precederam o momento em que ela o encontrou no chão da livraria.

Justin olha para mim, e eu retribuo seu olhar sem dizer nada, confirmando que nenhum de nós dois sabe o que fazer. Ele observa em volta meio sem jeito, e aponto para duas cadeiras um pouco afastadas. Passamos os vinte minutos seguintes em silêncio.

Então, os pais de Justin entram apressados na sala, o que novamente eleva a agitação no local.

– Onde ela está? – pergunta a sra. Reilly ao se aproximar de nós. Justin a abraça e aponta para o canto.

Eu queria não ter que ouvir a mãe de Anna repetir os mesmos detalhes horríveis, mas estou perto o bastante para escutar cada palavra que ela diz e cada exclamação da sra. Reilly.

Inclino o corpo para a frente, apoio os cotovelos nos joelhos para poder cobrir as orelhas com as mãos e pelo menos abafar o som. Estou pensando em sair e respirar um pouco de ar fresco, quando ouço a voz de Anna.

– Alguém tem vinte e cinco centavos? – pergunta ela, e se joga na cadeira ao meu lado. Depois estica as pernas para a frente e apoia a cabeça na parede logo atrás, enquanto Justin e eu vasculhamos nossos bolsos.

– Aqui – diz Justin.

Anna estica o braço por cima de mim para pegar a moeda e se levanta.

– Vou procurar um telefone público e ligar para Emma. Já volto.

Ela fica fora por uns dez minutos, e Justin e eu voltamos ao nosso silêncio, até que a médica entra na sala de espera e chama a sra. Greene. As duas passam um tempo cochichando.

A mãe dela se vira para mim.

– Bennett, pode ir atrás de Anna?

Saio depressa dali e percorro os corredores estéreis, mas não tenho a menor ideia de onde ela está. Passo de um corredor ao outro até encontrá-la, finalmente, no fim de um deles, encostada na parede e brincando com o fio do telefone enquanto conta à melhor amiga o que aconteceu.

Ela me vê chegando.

A médica, aviso só mexendo os lábios, e Anna diz alguma coisa que não consigo escutar antes de devolver com força o fone ao gancho. Nós dois voltamos depressa para a sala de espera.

Assim que ela se aproxima, a mãe de Anna a segura pelos ombros, a puxa para mais perto e acena para nos chamar também.

– Pode falar.

Nós seis formamos um semicírculo para ouvir a médica que, com um tom firme e direto, explica que o sr. Greene sofreu um derrame. Ela fala com detalhes sobre a bateria de exames que estão fazendo para determinar a hora exata em que aconteceu e a extensão dos danos.

A médica olha fixo para a mãe de Anna, dirigindo-se a ela mais como uma igual do que como esposa de um paciente.

– No começo um quadro desses é complicado, como você deve saber. Tudo depende de quanto tempo ficou inconsciente antes de ser encontrado pela filha. Quando a equipe chegou ao local, os paramédicos aplicaram um medicamento que dissolveu o coágulo, mas... – A médica para de falar, e Anna começa a enrolar um cacho com o dedo. – Antes que seja possível determinar com *exatidão* em que parte do cérebro ocorreu o acidente vascular e quanto tempo durou, não temos como prever as chances de recuperação dele.

Anna recua alguns passos, como se fosse demais para ela aguentar, e pergunto a sra. Greene se posso levá-la lá fora para respirar um pouco de ar fresco.

Pegamos o elevador para o térreo e eu a levo para a entrada. O vento do lado de fora afasta nosso cabelo do rosto, mas nos sentamos bem próximos em um banco de cimento perto de um cinzeiro alto. Sinto cheiro de chuva e bituca de cigarro.

– Quero voltar. – Não espero a resposta dela e começo a recitar o plano que estou bolando desde que saí da livraria. – Vou voltar para hoje de manhã. Pego Brooke, a levo para conhecer você, e aí conto o que vai acontecer com seu pai, pode ser? Vai ficar tudo bem.

Anna balança a cabeça.

— E os efeitos colaterais? Na última vez você perdeu de vista vinte e duas horas. E se tentar mudar as coisas, mas acabar sendo jogado de volta em algum lugar? E se perdermos essas horas e eu não encontrar meu pai, no fim das contas? Você não pode errar dessa vez, Bennett.

Escuto o que ela diz, mas isso não me impede de analisar novamente os cenários mais fáceis. Se voltarmos à livraria, não sei o que poderia acontecer com Anna. Se voltarmos para a corrida de manhã, não tenho ideia do que seria capaz de ocorrer com Brooke.

— Pare — diz ela, como se percebesse que ainda estou tentando encontrar um jeito de fazer isso dar certo. — Escute. Você prometeu que ia me contar se perdesse o controle. Mas, aparentemente, fui eu tive que dizer isso para você. — Anna se fixa nos meus olhos. — Você não está no controle. Não pode dar um jeito no que aconteceu.

Sinto meu estômago embrulhar. Nossa, ela não sabe como quero refazer os fatos. Seria capaz de qualquer coisa para arrumar tudo isso. Mas Anna tem razão. Não posso. Dessa vez tem muita coisa em jogo. Não estou mais no controle. A menos que eu cumpra as regras.

Anna comprime os lábios e passa o polegar pela minha bochecha.

— Você não devia mudar as coisas, lembra?

Em seguida, ela apoia a cabeça em meu ombro. Ficamos ali sentados assim por bastante tempo, ouvindo o ruído das portas automáticas se abrindo e se fechando quando as pessoas entram ou saem do prédio.

Peço desculpas mais algumas vezes, e ela diz que não tenho culpa de nada. Mas não revelo no que realmente estou pensando: se eu não tivesse aparecido hoje, ela teria ido para casa com o pai, em vez de com Brooke e comigo. Teria passado três horas com ele no carro. Três horas para perceber que havia alguma coisa errada.

Essas três horas deviam ter sido dele, e eu as roubei.

Hoje, depois de encontrarmos o pai dela na livraria, nós dois pulamos direto para a pergunta: *E se pudéssemos mudar tudo isso?* Em nenhum momento pensamos: *E se não tivéssemos mudado nada, para início de conversa?*

Quando Justin e eu saímos do hospital, o vento atinge com força nosso rosto. Fechamos o casaco mais apertado em torno do corpo enquanto andamos de cabeça baixa até o carro. Ele entra primeiro e destrava a porta para mim.

– Você está bem para dirigir?

Ele olha para mim e gira a chave na ignição.

– Estou.

E essa é a última coisa que ele fala durante trinta quilômetros.

Cada vez que olho para ele, noto sua expressão estranha e os dedos brancos por agarrarem o volante com força. Estamos na Lake Shore Drive, andando no limite de velocidade ou quase, mas o vento também ajuda, pois toda vez que atinge a lateral do carro, tenho a sensação de que essa ventania vai agarrar o Honda Civic e jogá-lo no Lago Michigan.

Tento puxar conversa:

– Eu não sabia que você tinha um carro.

– Ganhei no verão. – Ele vira em uma rua secundária. – É bom, mas pouco resistente. Quando começar a nevar, vou ter que encher o porta-malas com sacos de areia para não derrapar.

Ao sairmos da margem do lago e seguirmos contra o vento, o carro parece menos instável. Noto os ombros de Justin relaxarem um pouco e seus dedos se afrouxarem. Ele afasta uma das mãos do volante e massageia a própria nuca.

– Conheço ele desde que eu era pequeno – comenta Justin com a voz mais grave que de costume. – Nossos pais jogavam bridge semana sim, semana não, sempre nas noites de sábado, desde que consigo lembrar. – Respira fundo. – Ele é tão *saudável*, sabe? Mais do que meus pais. Caramba, faz anos que tenta convencer meu pai a ir correr com ele.

– Eu sei – respondo. Mas é claro que não sabia. Nunca soube de nada disso. E não sei o que dizer.

– Isso tudo é muito estranho...

Justin para de falar ao fazer outra curva, e resisto ao impulso de dizer que tenho certeza de que o sr. Greene vai ficar bem, porque não tenho como saber, e talvez isso não aconteça. O ar dentro do carro está pesado por causa da tensão, e Justin fica olhando para mim a todo instante como se fosse minha vez de falar. Não conheço o sr. Greene há muito tempo. Não tenho anos de histórias acumuladas para justificar o impacto da presença dele na minha vida, ou nada parecido. Só sei que gosto dele, que é uma pessoa legal e um bom pai e que não merece estar ligado àquelas máquinas.

Justin sopra uma baforada de ar no para-brisa.

– Disseram que ele pode ficar bem, se recuperar completamente, mas ainda fico com dúvida. – Quando para no sinal, olha para mim. – Quer dizer, não sei nada sobre derrames, mas acho pouco provável que o cérebro não fique com nenhum dano. Ele deve ter ficado inconsciente por pelo menos... O que a médica disse? Vinte... vinte e cinco minutos?

Mas não consigo pensar nessa parte, muito menos discutir. Anna e eu estávamos na mesma rua durante aqueles vinte minutos. E se houvesse uma vaga para estacionar na frente da livraria? E se não tivéssemos parado para tomar café? E se eu não tivesse aparecido hoje?

— Imagino que a gente fique sabendo mais amanhã, quando saírem os resultados dos exames.

— Acho que sim. Mas, cara, isso não te deixa com vontade de poder ver o futuro, ou alguma coisa assim? Se pelo menos a gente tivesse como *saber*, entende?

O sinal abre, ele olha para a frente e balança a cabeça, como se essa ideia fosse ridícula.

A fechadura destrava com um estalo alto. Entro na ponta dos pés e fecho a porta, grato por encontrar a casa em silêncio e com as luzes apagadas, exceto pelo abajur que Maggie sempre deixa aceso em cima da mesa.

Arrasto os pés pelo assoalho de madeira e subir a escada me demanda um grande esforço. Meu cérebro está fazendo hora extra, mas o corpo mal pode esperar para cair na cama.

Vou direto para o banheiro, onde lavo e jogo água fria no rosto e dou uma olhada no espelho. Estou pálido, com os olhos vermelhos e meio fechados, apesar do choque térmico que acabei de provocar. Apago a luz e volto para o meu quarto.

Eu devia ter insistido em ficar com Anna no hospital, apesar da expressão que a mãe dela fez, deixando claro que não me queria lá. Pela centésima vez esta noite, relembro a expressão de Anna quando me disse que eu não podia voltar no tempo, e me pergunto se fiz a coisa certa em aceitar sem sequer insistir. Ainda mais quando lembro como o sr. Greene piscou para mim.

Mas, de todas as coisas que aconteceram e de tudo o que foi dito esta noite, as palavras de Justin são as que mais me atormentam e não me deixam dormir.

Ele disse que queria ser capaz de ver o futuro, sem fazer ideia de que eu posso.

Não consigo mais lutar contra isso e, contrariando o bom senso, pego minhas botas mais pesadas no fundo do closet e as calço, depois visto meu casaco preto, fecho o zíper e puxo o capuz de lã até a testa. Encho a mochila com garrafas d'água e um maço de dinheiro.

Não vou mudar nada. Não vou manipular o relógio nem refazer coisa alguma. Estou apenas observando, como sempre fiz. Dessa vez, não estou quebrando as regras, e, quando acabar, ninguém vai precisar saber o que fiz.

A médica disse que seriam necessários tempo e paciência, e mesmo que ele se recuperasse completamente, seria provável que isso demorasse alguns anos. Ao me lembrar dessas palavras, fico de pé no meio do meu quarto e fecho os olhos.

Visualizo a pintura amarela descascada e rachada na lateral da casa dos Greene, e esvazio minha cabeça de tudo que não seja o dia de hoje: 15 de novembro.

Escolho uma hora em que sei que ele estará em casa: seis e meia da manhã.

E escolho um ano que faz parte do meu passado, mas do futuro de Anna: 1997.

30

Chego à lateral da casa de Anna, exatamente onde planejei, e espio pelo canto. Deve ter nevado na noite passada, mas não muito. Ainda consigo ver folhinhas de grama brotando da fina camada de gelo que cobre o jardim. Estou agasalhado demais.

Olho pela janela e percebo que a cozinha continua exatamente igual, com os mesmos utensílios, as mesmas banquetas. Consigo enxergar com perfeição a cafeteira, no mesmo lugar em que sempre esteve. Olho em volta, pronto para me esconder depressa, caso apareça alguém.

Anna já deve ter se mudado para cursar a faculdade, mas é uma boa hora para ver o sr. Greene preparando o café da manhã.

Ouço a porta da frente se abrir e espio novamente pela lateral quando alguém surge na varanda. Os pés parecem pertencer a um homem, mas a porta bloqueia minha visão e não tenho certeza. O jornal desaparece e a porta é fechada. Volto para perto da janela.

O sr. Greene entra na cozinha e se aproxima da bancada. Abre o jornal, retira um caderno e joga o restante em cima da mesa.

Quando se afasta da bancada, percebo que ele manca ligeiramente com a perna direita. Perto da cafeteira, ele parece incomodado ao usar a mão direita, como se alguma coisa o atrapalhasse, e quando tenta abrir a embalagem de café, acaba desistindo e optando em usar a mão esquerda e os dentes.

Enquanto a cafeteira prepara a bebida, ele levanta a mão e pega duas xícaras no armário acima de sua cabeça. Em seguida manca até a geladeira e volta com uma embalagem de leite.

Está quase devolvendo o leite ao refrigerador, quando Anna aparece. Ela toca o ombro do pai, pega a embalagem de leite da sua mão para guardá-la. Depois dá um rápido beijo em sua bochecha e vai até a bancada pegar uma xícara.

Seu cabelo está mais curto, solto, um pouco além dos ombros. Está usando calça jeans e moletom. Demoro um minuto para perceber que no seu casaco está escrito NORTHWESTERN CROSS COUNTRY, e então tudo se encaixa: Anna ainda mora aqui.

O sr. Greene volta a mexer no jornal, e Anna se aproxima depressa para ajudá-lo. Entrega um caderno ao pai, que ele dobra ao meio e usa para bater no braço dela. Anna dá risada, mas através do vidro escuto o sr. Greene dizer para a filha parar de ajudá-lo.

Alguns minutos mais tarde, a campainha toca, e dou uma olhada pela beirada da parede. Justin está em pé na varanda. Ele está de boné e pendurou a mochila em um ombro só. A porta é aberta e Anna grita:

– Tchau, pai.

Ela sai e fecha a porta. Os dois seguem pela calçada em direção ao campus.

Já vi tudo de que precisava. Fecho os olhos e volto ao meu quarto na casa da Maggie.

Minhas têmporas estão pulsando. Eu me sento no chão ao lado da cama e pego a água na mochila. Bebo duas garrafas inteiras de uma vez, depois pego um Frappuccino em temperatura ambiente. Quando o esvazio, deixo a cabeça cair na cama e espero me recuperar.

Eu me sinto mal, só que são sintomas mais parecidos com os que estou acostumado, uma forte dor de cabeça e boca seca, mas meu nariz não está sangrando, não estou escutando zumbido no ouvido e, mais importante, não perco o controle de onde estou na linha do tempo. Consegui ficar em 1995, ir para 1997 e voltar a 1995 sem nenhuma consequência grave.

Fico ali deitado me lembrando do sr. Greene andando pela cozinha, de como Anna o ajudou e ele a censurou por isso. E estava bem. Não voltou ao normal, mas estava vivo, capaz e, obviamente, em boas mãos. Sei que, em parte, ele sente alívio por Anna continuar morando em casa, mas tenho certeza de que uma parte maior sente culpa, porque ele sabe que Northwestern nunca foi a primeira opção da filha.

Minhas pálpebras estão pesadas, e mal posso esperar para fechar os olhos e dormir. Mas assim que começo a cochilar uma coisa que a médica disse hoje me faz acordar num sobressalto. Ela comentou que a recuperação seria lenta. Que poderia levar anos. Isso me faz pensar: o que eu veria se avançasse um pouco mais no tempo? Talvez eu consiga notícias mais consistentes para dar a Anna amanhã.

Eu me levanto e volto ao centro do quarto. Bato os pés no chão até a neve restante cair das minhas botas. Fecho os olhos e imagino uma data no futuro quando Anna não estará mais morando em casa, mas certamente fará uma visita: a véspera do Natal de 2005.

31

Estou na casa errada.

A entrada da garagem continua no mesmo lugar. A janela da cozinha também. Ando até a frente da casa e olho para cima, para a janela do quarto de Anna. Estou no local certo, mas a casa não é mais amarela, e a pintura não está mais descascando. Agora ela é cinza-escuro com detalhes em branco. Ficou ótima.

Devia estar nevando há algumas horas, porque meus pés estão enterrados naquele pó branco e leve que não se parece em nada com a neve de que me lembro. Está cobrindo a minha calça jeans até a canela, e sinto meus dedos dos pés ficando gelados dentro das botas de inverno.

Olho pela janela. A cozinha também parece diferente, recém-pintada e com armários novos, granito nas bancadas e vários utensílios modernos. Talvez os novos moradores tenham feito obra. Mas depois noto que os bancos são exatamente os mesmos e sorrio quando lembro a primeira vez que vim à casa de Anna e me empoleirei em um deles, observando-a cuidadosamente em busca de sinais de medo quando desapareci diante dos seus olhos.

A mãe de Anna entra na cozinha e me encolho embaixo do parapeito da janela e conto até cinco. Depois espio lá dentro de novo, observando-a abrir o forno e tirar de lá de dentro uma carne assada. Ela se movimenta pela cozinha, mexe as panelas no fogão e coloca pãezinhos no forno.

Estou começando a ficar preocupado com o pai de Anna, mas então ele entra na cozinha e enfia o dedo em uma das panelas. A sra. Greene bate na mão dele com a colher de pau que acabou de tirar do molho, e praticamente ouço a bronca de onde estou. Não escuto a resposta dele, mas vejo a sra. Greene jogar a cabeça para trás e rir.

Eu o observo atravessar a cozinha em direção à sala de jantar e percebo que está mancando um pouco. Volta carregando uma bandeja de prata que deixa em cima da bancada. É difícil ver de onde estou, mas as mãos dele parecem normais.

Ouço o barulho de pneus passando por cima da neve. Luzes iluminam a cobertura branca de neve no jardim, então fico parado observando o carro entrar na garagem. Saio dos fundos da casa e me escondo atrás do grande carvalho para enxergar melhor. Chego bem na hora de ver Anna sair do carro.

A porta do carona se abre e outra pessoa sai do carro. As luzes da casa iluminam perfeitamente o rosto de Anna, e estou perto o bastante para enxergar todos os detalhes, mas a outra pessoa está na penumbra, e tudo que consigo ver é a parte de trás de sua cabeça. Ele segura a mão dela de forma casual, como se já tivesse feito isso milhões de vezes. Depois a beija e diz alguma coisa que a faz sorrir. Sinto um aperto no peito e me esforço para respirar.

Conheço bem esse sorriso. Sempre achei que Anna o reservasse para mim, mas, em 2005, pertence a outro.

Os dois seguem para a varanda de mãos dadas. Antes de alcançarem o primeiro degrau, o sr. Greene abre a porta e abraça a filha. Ela ri e o cumprimenta quando ele a coloca de volta no chão.

– Oi, pai.

O sr. Greene olha para o homem e diz alguma coisa que não consigo ouvir de onde estou. Ele o abraça com um carinho paternal e dá um tapinha em suas costas. Depois o solta, mas mantém um braço em seu ombro e conduz os dois para dentro de casa. A porta se fecha.

Atravesso o gramado em direção à entrada da garagem e dou uma olhada no interior do carro em busca de alguma coisa que me informe quem é ele e de onde veio, mas não há nada ali dentro. Dou a volta por trás do carro e olho a placa. Tem um adesivo da locadora de automóveis no canto.

Eles vieram de avião de algum lugar. Ele veio, pelo menos.

Volto à minha posição embaixo da janela da cozinha. Devo gostar de sofrer, porque, assim que dou uma olhada dentro da casa, fico paralisado. Quero desviar os olhos, mas não consigo.

O cara não está em nenhum lugar em que eu consiga vê-lo, mas tenho uma visão perfeita de Anna no meio da cozinha, cercada pelos pais muito alegres. Nossa, ela está linda. Seu cabelo, comprido de novo e preso na altura da nuca por uma presilha. Não consigo parar de olhar.

Ela anda pela cozinha como costumava fazer, partindo pedaços de pão, enfiando o dedo nos molhos e fechando os olhos quando prova alguma coisa gostosa. Anna se vira e fala algo para o pai, que cai na gargalhada.

De repente, ela se volta para a janela e olha diretamente para mim. Eu me abaixo depressa, saindo de vista, e tudo fica quieto por um instante, exceto pelas batidas do meu coração, que tenho quase certeza de que conseguem ouvir lá dentro. Espero um minuto inteiro passar antes de espiar novamente pelo canto da janela.

Anna está sentada num banco, de costas para mim. A sra. Greene serve uma bebida na frente dela, e a vejo levar o copo aos lábios

Ele volta. O cara que veio com ela retorna à cozinha e segue direto para a geladeira. Anna está na minha frente, então mudo de posição para conseguir vê-lo, mas, sem querer, bato no vidro. Anna se vira no banco, e eu encosto as costas na parede da casa.

– Eu vi de novo, pai. – A voz dela soa distante e abafada, mas consigo distinguir suas palavras, e em seguida ela fala mais alto, com mais clareza, unindo as mãos em torno da boca e apoiando-as na janela. – Tem alguma coisa lá fora, juro.

Meu coração dispara. Tenho que me esforçar muito para ficar quieto e imóvel. Ela está logo ali. Quero dizer alguma coisa. Quero me levantar, olhar para o seu rosto e descobrir qual será sua reação. Deve haver alguma coisa que eu possa dizer e a faça sair, segurar minhas mãos e me deixar levá-la para um lugar mais quente onde a gente possa se sentar na areia e conversar. Preciso descobrir quem é esse cara, o que está fazendo na casa dela e por que Anna olha para ele desse jeito. Preciso descobrir o que aconteceu com a gente e como tudo terminou.

Ouço a voz baixa e nítida do pai dela:

– O que é?

— Não sei, mas juro que estou vendo alguma coisa se mexendo lá fora.

— Não é nada — responde ele. — Fique aqui, vou dar uma olhada.

Giro sem sair do lugar, procurando um esconderijo, mas não tenho para onde ir. Escuto a porta da frente se abrindo e se fechando, depois os passos na varanda de piso de madeira.

Entro em pânico e fecho os olhos.

Quando os abro, estou novamente no meu quarto na casa de Maggie. Sentado na cama, com a cabeça latejando e o estômago revirado, tenho certeza de que o sr. Greene viu minhas pegadas e fico imaginando o que aconteceu quando se deparou com elas.

32

O hospital está mais movimentado hoje. Saio do elevador, entro na sala de espera e levo um minuto para encontrar Anna. Finalmente a vejo sentada em uma cadeira encostada na parede do fundo, com a mãe de um lado e Justin do outro, segurando sua mão. Emma está ao lado dele, de braços cruzados enquanto encara o teto.

Não tenho onde sentar, mas vou até eles mesmo assim. E quando me aproximo, Justin fica em pé.

– Oi. – Ele aponta para sua cadeira. – Pode ficar com a minha. Eu estava mesmo indo embora. – Anna se levanta e o abraça, e Justin corresponde com um abraço apertado, fechando os olhos enquanto faz carinho nas costas dela. – Me ligue mais tarde, está bem? Ou melhor, passe na loja. Vou ficar lá até tarde.

Anna beija seu rosto.

– Sra. Greene? – Ouço a voz atrás de mim e, quando me viro, encontro a mesma médica de ontem. – Você e sua filha podem vê-lo, mas tem que ser uma visita rápida.

Anna segura minha mão ao passar por mim e a aperta. Ela e a mãe acompanham a médica para fora da sala de espera, e me sento ao lado de Emma. Apoio a cabeça na parede.

– Como ele está hoje?

– Parece que está melhor. Recuperou a consciência no meio da noite. Os resultados dos exames são animadores, mas está sem os movimentos do lado direito.

Eu me lembro do sr. Greene usando os dentes para abrir um saco de grãos de café. Emma esfrega a testa com os dedos.

– Mas acham que ele vai se recuperar totalmente, com o tempo.

A notícia é boa, mas noto o queixo de Emma tremer, então me dou conta de que ela está segurando o choro.

– Você está bem? – pergunto.

– Eu? – Ela respira fundo e passa os dedos pelo rosto. – Eu devia estar fazendo essa pergunta a você, seu descabelado. Sua cara está péssima.

Achei que estava bem, considerando tudo pelo que passei nas últimas quinze horas, mas então levo as mãos ao rosto e sinto a barba despontando, depois percebo que ainda estou com as mesmas roupas de ontem.

– Estou bem – minto.

Ela respira fundo e se senta com as costas retas na cadeira, olhando em volta da sala de espera lotada como se reparasse pela primeira vez na mobília feia e nas pilhas de revistas em cima das mesinhas.

– Isso é muito estranho. Nunca estive em um hospital. Você já?

Imagino Anna e eu sentados numa outra sala de espera de outro hospital, mais perto de Chicago e do local em que

Emma e Justin sofreram o acidente de carro, mas igualmente feia e desprovida de qualquer coisa alegre.

— Já estive em alguns.

— É tão estranho... Tenho uma sensação, sabe, de que *devo* ter estado pelo menos uma vez em um hospital, além do dia em que nasci, mas acho que nunca estive. Ninguém da minha família ficou doente, e nunca quebrei um osso nem nada... Bate na madeira — diz ela, batendo no braço da cadeira. Depois estremece. — Esse lugar me dá arrepios.

Não cheguei a ver Emma depois do acidente, mas Anna me contou tudo. É impossível olhar para ela nesse instante sem imaginá-la no quarto esterilizado, toda machucada e cheia de pontos, com vários ossos quebrados e ainda com hemorragia interna. Emma nunca vai saber o que fiz por ela, e quero que nunca descubra.

Os olhos dela percorrem a sala de novo, e ela se inclina na minha direção.

— Posso perguntar uma coisa?

— Claro.

Ela se aproxima ainda mais e apoiando os antebraços na minha cadeira.

— Acha que Justin tem uma quedinha por Anna?

— Anna? — Não queria que desse a intenção de que eu me referia a ela como *minha* Anna, mas acho que o tom da minha voz saiu assim. — Não. Quer dizer, eles são amigos. E se conhecem desde sempre. Anna o considera um irmão.

— Ah, sim... é claro. Não estou falando do que Anna sente por *ele*, porque nesse caso só dá *você*. Perguntei o que você acha que ele sente por *ela*. — E olha ao redor novamente. — Deixe pra lá. Eu não devia ter falado nada. Eu só estava curiosa para saber sua opinião, e estamos aqui, só nós dois, presos neste hospital horroroso. – Ela tamborila as unhas cor-de-rosa na própria calça jeans. – É que o abraço que ele deu nela há alguns minutos pareceu um pouco "mais que amigos". – Ela imita aspas com os dedos. – E, sabe, ainda teve aquela coisa do quase beijo...

Inclino a cabeça para o lado e olho para ela.

– Que coisa do quase beijo?

Emma franze as sobrancelhas e passa a escolher as palavras com mais cuidado.

– Depois que você saiu da cidade na primavera passada, sabe. – Ela deve ter percebido pela minha expressão que é a primeira vez que ouço essa história, porque tapa a boca com a mão e se afasta de mim. – Anna me falou que você sabia. E me passou a impressão de que não tinha sido grande coisa.

Ela nunca me contou. E talvez não tenha sido grande coisa. Talvez se essa conversa tivesse acontecido ontem, eu teria rido de tudo, mas, logo depois do que vi na noite passada, pode ser que eu esteja sensível demais para isso.

– Justin encheu a cara na minha festa de aniversário, e acho que eu estava tirando proveito da situação, porque decidi ser direta e perguntar o que ele sentia por Anna. Só para ver como ele reagiria. – Não sei se quero ouvir essa história, mas Emma continua falando, e não a impeço. – No começo ele jurou que os dois eram só amigos, mas depois me contou que na primavera passada, quando você foi embora, eles estavam na loja de discos um dia e quase se beijaram.

Emma dá de ombros, como se quisesse passar a impressão de que aquilo não era nada de mais, mas percebo por sua expressão que não é bem assim.

– Não ligue para isso. Não foi Anna, *de jeito nenhum*. Justin tentou beijá-la... ele deixou bem claro. Sei lá, se você não existisse, talvez, mas...

Eu me lembro do que vi ontem à noite quando fui a 1997, de Justin buscando Anna na casa dela, dos dois indo juntos para a escola. Depois penso no cara que vi com ela oito anos mais tarde. O cara que ela beijou na entrada da garagem. Eu nem havia considerado a possibilidade de que podia ser Justin, mas agora não consigo tirar essa ideia da cabeça. Acho que o cara não era ruivo, mas também não reparei muito bem. Eu me recordo de que o sr. Greene o abraçou e o conduziu para dentro de casa.

– Isso só parte do lado dele... – Ela faz uma pausa e dá uma risada incrédula. – Eu deveria ter percebido isso logo de cara, não é? – Emma também apoia a cabeça na parede, com as pernas esticadas para a frente. – Não sei muito bem por que continuo esperando, como se ficasse satisfeita em ser o prêmio de consolação.

Ela continua falando mais coisas, mas eu preferia que não dissesse mais nada. Não tenho energia para pensar em nada disso agora, e tenho preocupações muito maiores na cabeça. Antes que Emma volte a falar, Anna e a mãe voltam à sala de espera e se sentam na nossa frente.

– Nenhuma novidade – conta a sra. Greene enquanto enrola o cabelo com um dedo e suspira cansada. Depois, sem que ninguém a incentive, ela começa a falar sobre um paciente de AVC que atendeu alguns anos atrás. Finjo ouvir antes de olhar para Anna e, felizmente, ela me entende.

– Já voltamos, mãe – avisa, e segura minha mão para me levar às máquinas de biscoitos e doces no corredor. Anna enfia a mão no bolso da calça em busca de uma moeda. – Quer dividir um Doritos?

Ela está prestes a enfiar a moeda na abertura, mas eu a detenho.

— Espere, tem uma cafeteria do outro lado da rua.

— Ah, é? — Ela tapa a boca para disfarçar um bocejo. — Vamos lá, então.

Anna me pede para esperar perto do elevador, enquanto vai dizer à mãe para onde vai. Quando volta com o casaco na mão, eu a ajudo a vesti-lo.

A cafeteria não se parece com a qual estamos acostumados, bem mais institucional que aconchegante, com mesas e cadeiras de metal. Anna encontra um lugar perto da janela do canto, e vou fazer o pedido no balcão. Alguns minutos mais tarde, volto com uma tigela de sopa, um pão e um latte.

Anna pega o pão e o vira nas mãos.

— Isso me lembra Paris — diz. Ela dá um sorriso cansado para mim e morde um pedaço. — Pena que o gosto não seja nada parecido com o *daquela baguette*. — E olha desapontada para o pão. — Tenho certeza de que nunca vou comer nada tão delicioso.

Não respondo. Na verdade, não falo nada enquanto ela termina de tomar a sopa. Mas quando amassa o guardanapo e o joga na tigela vazia, não consigo mais me conter.

— Preciso falar uma coisa. — Praticamente explodo, e ela olha para mim. Eu devia ter planejado o que ia dizer, mas não fiz isso. Então improviso, torcendo para que faça sentido. — Você se lembra de ontem à noite, quando me falou que eu não podia dar um jeito nisso?

— Lembro.

— Bom, pensei em outra coisa que eu podia fazer.

Ela bebe um gole de café e me espera continuar:

— Adiantei o tempo.

Ela boceja de novo.

— **Não entendi** — diz.

— Adiantei... Fui para o seu futuro. Ver o que acontece com ele.

Anna levanta a cabeça e estende a mão para deixar a xícara de café em cima da mesa, mas perde o controle e a larga com força. Um pouco do café transborda, e Anna pega o guardanapo para limpar a bagunça que fez. De repente, para e me encara.

— Não quero saber, quero?

Balanço a cabeça, dando uma resposta afirmativa.

— Quer, sim. A notícia é boa. Ele vai ficar bem.

Ela deixa o guardanapo cair quando apoia os cotovelos na mesa e tapa o rosto com as mãos. Não sei se está chorando ou rindo, ou se está tão emocionada que faz as duas coisas ao mesmo tempo.

— Vai levar algum tempo. Daqui a uns dois anos, ainda vai mancar e não vai controlar completamente a mão direita, mas vai ficar bem.

Olho para ela.

— Quando?

— Desculpe, Anna, eu queria poder responder, mas não sei.

— Não, é claro. Tudo bem. — Ela balança a cabeça com força, como se estivesse se censurando por ter perguntado. Depois se aproxima de mim. — Ainda não acredito que você fez isso — confessa ela, animada. — O que mais vai me contar?

Anna bebe um grande gole de café, lambe a espuma dos lábios e eu respiro fundo.

— Vi o suficiente para saber que ter vindo aqui foi um erro. — Pronto. Falei. — Eu não deveria estar aqui, Anna. Isso está mudando sua vida inteira.

Ela apoia a palma das mãos na mesa para se firmar.

— Para melhor.

– Não tenho mais essa certeza.

Ela olha pela janela e não diz nada.

– O que está escondendo de mim, Bennett? O que você viu? – Ela me olha séria.

– Vi você e sua família com um futuro feliz. E se eu contar mais sobre isso, pode ser que não aconteça desse jeito.

É o suficiente. Isso é tudo que ela vai saber. Qualquer coisa além disso pode mudar o que vi, e não posso fazer isso.

– Bom, é o *meu* futuro. E quero você nele. – Anna franze a testa. – *Você* não quer estar presente?

Balanço a cabeça.

– Mas pense nisso – falo, ainda mexendo a cabeça. – Se você estivesse no carro com seu pai ontem, teria percebido que havia alguma coisa errada. Teria visto os sinais e levado logo o sr. Greene para o hospital. Talvez ele nem estivesse aqui agora.

– Ah, fala sério... Ele teve um derrame. Isso teria acontecido de qualquer jeito. Você não fez nada errado.

– Eu estava *aqui*, Anna. Com você. E não deveria estar. Se eu não estivesse aqui, você teria ficado com seu pai.

Eu não esperava me sentir desse jeito, contudo, quanto mais eu conversava com ela, mais sentia a raiva crescendo dentro de mim. Estou furioso com todo mundo. Com Emma, por ter me contado sobre o quase beijo entre Justin e Anna, porque eu não queria saber disso, ainda mais hoje. Com Anna, por ter me convencido de que não era errado mudar os fatos, simplesmente porque a vida da sua melhor amiga corria risco. Com meu pai, por ter me deixado acreditar que eu era mais poderoso do que realmente sou. E comigo mesmo, por ter aberto uma janela para o futuro que eu não deveria ter visto, e com certeza não queria que existisse.

E é egoísta, mas estou furioso porque parece que, toda vez que faço alguma coisa boa para alguém, sou eu quem paga o preço.

Respiro fundo e me preparo para dizer as próximas palavras, as que estão ecoando na minha cabeça desde que voltei da casa dela na véspera do Natal de 2005. Chegou a hora. Se vou garantir a vida que vi para Anna, aquela em que ela está feliz sem mim, tenho que falar:

– Não vou mais voltar.

– O quê?

Ameaço segurar as mãos dela, mas, antes que eu consiga tocá-las, ela recua e fica de pé. Sua cadeira de metal cai no chão, e ela olha por cima do ombro como se considerasse a possibilidade de levantá-la, mas não faz nada. Anna gira sobre os calcanhares e sai para a rua gelada.

Quando a alcanço, ela está parada na beira da calçada, esperando para atravessar a rua.

– Anna. Por favor.

Ela se vira, com os braços cruzados e o rosto marcado pelas lágrimas.

– Você não pode fazer isso! – grita enquanto os carros passam em alta velocidade ao nosso lado. – Não pode fazer isso comigo. Prometeu que não iria embora... – Seu rosto está vermelho e as lágrimas escorrem depressa. Ela tenta enxugá-las, mas não consegue contê-las.

Eu a seguro pelo braço, mas ela se solta.

– Vá! – grita. – Se é isso que você quer, vá embora de uma vez!

Sinto alguma coisa explodir dentro de mim.

– O que *eu* quero?! – grito de volta. – Como assim, o que *eu* quero? Quando alguma coisa tem a ver com o que eu quero?

Não tenho nada, absolutamente nada do que *eu* quero! Você não entendeu? – Eu me lembro de Anna na entrada da garagem, sorrindo para um cara que não sou eu, e sinto o sangue ferver em minhas veias. – Sabe, eu posso experimentar um pouquinho de todas essas coisas incríveis, mas não *fico* com nenhuma delas. Posso conhecer você e fazer parte da sua vida, e posso conhecer sua família e seus amigos, mas não posso manter nada disso. Não tenho como ficar aqui. Não é minha casa. E quase morro toda vez que preciso ir embora. Toda vez. E vai ser sempre assim.

– Bennett... – Anna recua na calçada e me empurra para longe da beirada.

– Não, espere. Vai melhorar. – Levo a mão ao peito e dou uma risada sarcástica. – Finalmente encontrei alguma coisa que me faz sentir bem com isso que sou capaz de fazer. Descobri como *salvar* a vida das pessoas. Posso dar uma segunda chance a algumas pessoas que merecem. E isso é incrível por, tipo, vinte minutos... até que começo a me sentir muito mal. – Dou mais uma risada. – Ah, espere, e a melhor parte: quanto mais coisas boas eu faço, mais perco a única que prometi a você que não perderia. O controle. É como um ciclo infinito que me ferra totalmente – concluo, girando o dedo no ar.

Anna respira fundo e comprime os lábios com força. Ela está chorando ainda mais, o que devia me fazer sentir horrível, mas, por alguma razão, não faz.

– Dê uma olhada – continuo, levando a mão ao peito outra vez. – Não posso ter o que eu quero. Nunca. Porque a única coisa que quero é uma vida normal. Não quero ser especial e diferente, só quero acordar, ir para a escola, fazer o dever de casa e andar de skate no parque com meus amigos. Quero que meu pai sinta orgulho de mim porque tirei nota máxima em um trabalho idiota, não porque salvei a vida de algumas crianças. Quero olhar por uma janela e imaginar como seria legal poder viajar no tempo, mas não quero *ter* realmente essa capacidade. E quero me apaixonar por uma garota que eu possa ver todos os dias, não a cada três semanas.

Eu estava gesticulando muito ao falar, mas, depois que terminei o discurso, não sei o que fazer com as mãos. Passo os dedos pelo meu cabelo.

– Tenho que ir. Desculpe.

Volto para a cafeteria, mas, antes de chegar à porta, sinto a mão de Anna agarrar meu braço com força.

– Bennett, desculpe... Eu não queria...

– O quê? Não queria me convencer a fazer tudo isso? – As palavras simplesmente saem, por mais que eu saiba que não são verdadeiras, e me viro a tempo de vê-la ficar ainda mais triste. Isso devia bastar para me fazer parar, mas continuo: – Se não tivesse me convencido a ajudar Emma, eu nunca descobriria o que sou capaz de fazer. Poderia ter passado o resto da vida indo a shows e fazendo escalada em lugares exóticos, sem nunca me preocupar se sou egoísta com meu dom, porque, sabe, é meu! Não é seu. Nem do meu pai. É meu. – Bato no peito.

– Sei disso... Nunca quis...

– Estruturei minha vida com algumas regras, e depois desrespeitei todas por *você*. E para quê? Para que eu me tornasse uma pessoa melhor? – Bufo, irritado. – Como minha vida pode ser melhor se um estranho deixar de quebrar a perna ou se cinco pessoas que deveriam estar mortas continuam vivas?

– O que você fez foi *realmente* uma coisa boa. E se você fosse uma pessoa normal, a gente nunca teria se conhecido.

– É... Bom, acho que deveria ter sido assim.

Ela se afasta e olha para mim.

– Você não está falando sério, né?

Por mais difícil que seja, confirmo com a cabeça.

As lágrimas escorrem pelo rosto de Anna, e não consigo olhar para ela. Preciso sair daqui.

– Tenho que pensar, Anna. Você precisa pensar.

– Eu não preciso pensar.

– Bom, devia, porque isso é loucura. – Lembro o que o sr. Greene me disse outro dia. *Isso é ridículo. Acha mesmo que vai conseguir levar adiante?* – Fala sério, onde a gente estava com a cabeça? Não podemos continuar assim para sempre.

Ela enxuga o rosto e me encara.

– Vou voltar para a minha vida real por um tempo, está bem? Venho no Natal – digo, como se isso pudesse melhorar a situação. – Seu pai vai ficar bem – concluo, como se isso justificasse minha partida.

Ela recupera a voz, mas fala baixo, e tenho que me esforçar para ouvi-la.

– Fique, por favor.

Antes que Anna possa dizer mais alguma coisa, recuo alguns passos até sentir a esquina do prédio atrás de mim e, sem me importar se alguém olhava, fecho os olhos e desapareço.

dezembro de 2012

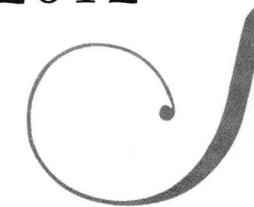

33

são francisco, califórnia

Passo a viagem toda até aqui meio enlouquecido com meu desempenho, porém, quando passo pela porta da casa de Megan, tudo se encaixa por conta própria. Pode ter sido a música alta ou o barulho da conversa que se estendia de uma sala para outra, mas, o que quer que fosse, me sinto agradecido. Parei na entrada, olhei em volta e senti o cheiro inebriante da festa e dos parentes distantes. Disse a mim mesmo que eu não precisava gostar de verdade da festa, só precisava fingir.

Agora estou todo sorridente e dando tapinhas nas costas dos outros e respostas rápidas, e fazendo comentários engraçados, me comportando de um jeito tão diferente de tudo que fiz recentemente que, quando me vê, Sam faz aquela cara de *quem é você?*. Posso ser uma droga de super-herói, mas, como ator, até que mando bem.

— Está mais alegrinho esta noite. — De todas as pessoas ali, eu não esperava que Brooke enxergasse além do disfarce, mas talvez ela não tenha realmente conseguido, porque percebo a amargura em sua voz.

— Estou — minto. — E vou continuar de bom humor, porque é Natal, estamos de férias, você veio para casa, estou cercado de bons amigos e cansado de me sentir uma porcaria. — Sorrio e tomo um gole da bebida. — Chega. De agora em diante, vou viver o momento. — Ergo meu copo e brindo sozinho.

— Você estava bem mal ontem à noite.

Olho em volta para ter certeza de que ninguém ouviu o comentário dela, mas percebo que isso teria sido impossível. *Eu* quase não consigo ouvi-la acima da música alta.

Eu me inclino na direção dela.

— Bom, então ontem à noite marcou o fim do meu baixo astral.

Brooke olha para mim e balança a cabeça devagar. Depois que meus pais e eu a buscamos no aeroporto ontem à noite, nós dois ficamos conversando no meu quarto por bastante tempo. Cometi o erro de mostrar a ela o álbum de fotos que Anna fez. Estávamos na metade das fotos, quando tive que sair do quarto, e enquanto ela continuava passando as páginas, fiquei no banheiro tentando não gritar. Voltei com os olhos ardendo e o rosto quente, peguei o álbum da mão dela e o enfiei de volta na gaveta. Ela não teve tempo de ver a última foto.

— Na boa — comenta Brooke enquanto dá uma olhada no seu celular —, não sei quanto tempo mais vou aguentar essa festinha de ensino médio. Kathryn acabou de me mandar uma mensagem perguntando se quero fazer alguma coisa, mas... — Ela olha para mim e para de falar.

— Mas?

— Nada. — E balança a cabeça. — Acho que pensei que você podia precisar de mim por perto hoje à noite, mas você parece estar bem, então... — Brooke interrompe a frase e olha em volta. — Vou lá fora ligar para ela. Ver o que rola.

Brooke sai, e vejo Sam e Lindsey perto da lareira. Estou prestes a ir para lá, quando a sala fica escura.

– Feliz Natal – sussurra uma voz no meu ouvido.

Afasto as mãos que estão tapando meus olhos e me viro. Megan está atrás de mim com um vestido vermelho e exibindo um grande sorriso. Ela balança o quadril.

– Já estava na hora de você vir a uma das minhas festas. – Abre os braços com as palmas voltadas para cima enquanto olha ao redor – E aí? Está arrependido de não ter vindo antes?

Sorrio e balanço de forma exagerada a cabeça.

– Estou arrasado. Nem imaginava o que estava perdendo.

– Não é? – Ela continua se aproximando e gritando para que eu a escute acima da música. – E agora sua vida está completa. – Megan toca meu braço e o mantém ali por tempo demais. Instintivamente, dou um passo para trás. Ela entende e me solta. – E aí, o que vai fazer nas férias?

Dou de ombros.

– Todo mundo está me perguntando isso, mas não tenho uma boa resposta.

– Qual é a resposta?

– Sair. – Cruzo os braços como se me orgulhasse de ser tão impreciso. Megan balança a cabeça como se estivesse desapontada, e repito o movimento com os ombros. – Entendeu agora? Minhas expectativas não são altas.

– Não mesmo.

Penso no único plano que tenho. O qual não posso contar a ela, Sam, Brooke nem ninguém. O plano em que *não* quero pensar agora.

– Bennett? – A voz de Megan sai cantada e ela acena na frente do meu rosto. – Ainda está aqui?

Pisco depressa.

– Estou. Desculpe. O que foi que disse?
– Disse que também quero sair. – Ela fica olhando para o chão por um instante, depois me encara. – E falei que talvez a gente pudesse sair juntos, não?

Não respondo, e Megan continua me encarando com as sobrancelhas erguidas e uma expressão esperançosa, enquanto penso na sua sugestão. Não a conheço muito melhor do que no fim do verão passado, mas penso no que falei para Sam no parque naquele dia, então me sinto um pouco mal. Megan é legal. É bonita. E pelo que fiquei sabendo sobre ela nos últimos meses, não é tão fútil assim. Além do mais, Lindsey é muito legal e gosta dela. Não sei, talvez seja hora de encontrar um "nós quatro" em 2012 e não em 1995.

– Pode ser – respondo.

Em seguida, ouvimos um estrondo na cozinha.

– Ops, *não* gostei nada desse barulho. É melhor ir dar uma olhada no que quebrou. – Ela toca meu braço de novo e diz: – A gente se vê. – E abre caminho entre os convidados, tentando sair da sala.

Assim que ela se afasta, sinto meu estômago se revirar. Não quero Megan e não quero outro *nós quatro*. Quero Anna. Aqui. Agora. Para não ter que acordar na manhã seguinte com o peito doendo e a cabeça atordoada, ou ir dormir hoje à noite me sentindo péssimo porque não consigo parar de me lembrar da expressão terrível que ela fez na última vez que a vi.

– Kathryn está vindo. – Ergo os olhos e deparo com Brooke na minha frente, ainda digitando no celular. – Acho que vamos... – Ela para de falar quando olha para mim e percebe que estou com a mão na testa e o rosto vermelho. – O que foi?

Tenho que sair daqui. Preciso de ar.

— Quer ir embora? — pergunta ela me encarando nos olhos, e assinto depressa.

Embora seja inverno, ainda não levantei a capota do jipe. Dirigi muito por aí desse jeito no mês passado: com a capota baixa, vento frio, música alta, aquecimento no máximo. Saio da vaga onde estacionei a alguns quarteirões da casa de Megan e sigo sem rumo.

— Você quer conversar... — começa Brooke.

— Não — interrompo.

Pelo canto do olho, vejo Brooke digitando no celular, e só posso deduzir que ela está avisando Kathryn sobre a mudança de planos. Será que inventou uma desculpa ou está contando a verdade? *Meu irmão está péssimo. Preciso ficar com ele.* Ela passa a atenção do celular para a música e, quando subo a próxima ladeira, me pergunta:

— Bota Coldplay ou deixa aleatório?

Parece uma pergunta, mas, quando Brooke está no carro, é raro ela me deixar escolher a música. Não que isso importe. Eu não podia ligar menos para o que ouvimos, desde que sirva para que ela não sinta um silêncio desconfortável e pense que tem a obrigação de preenchê-lo.

— Ah, música boa — diz ela aumentando o volume. Depois reclina o banco e olha para o céu.

Não sei que música é. Apenas continuo dirigindo e prestando atenção à letra.

Can anybody fly this thing?
Before my head explodes or my head starts to ring.

Sinto Brooke virar a cabeça para me olhar de vez em quando, mas ignoro seu gesto e continuo com os olhos fixos à estrada na minha frente, segurando o volante com força. Estamos a um quarteirão de casa. É cedo. Não quero ir para casa de jeito nenhum. E está tocando a música ideal. Anna e eu temos vivido dentro de uma bolha.

— Tudo bem se eu der uma volta? — pergunto.

Brooke apoia os pés no painel e reclina ainda mais o banco.

— Eu estava torcendo para você fazer mesmo isso. Gosto da paisagem — diz olhando para o céu.

Em vez de virar à esquerda e ir para casa, pego a direita rumo à Great Highway.

O estacionamento da Ocean Beach está escuro e vazio, e paro em uma vaga de frente para o Pacífico. Viro a chave na ignição e desligo o motor, mas deixo o som ligado, sem interromper a música. Ficamos quietos por bastante tempo.

Por fim, Brooke pergunta:

— Por que está fazendo isso, Bennett?

Apoio a cabeça no encosto e suspiro fundo.

— Por favor, não... Hoje, não.

Brooke se vira no banco para me encarar.

— Em uma linha do tempo completamente diferente que não existe mais, Anna foi *atrás* de você, lembra? Porque tinha certeza de que você devia fazer parte da vida dela. Isso não significa nada?

Dou de ombros.

— Eu achava que sim, mas não... aparentemente, não.

Faz meses que não olho para essa página do meu caderno, mas não é preciso. Já li tantas vezes o que ela escreveu na carta que decorei. *Um dia em breve vamos nos encontrar. E então você vai partir para sempre. Mas acho que posso consertar isso...*

— Você está complicando a situação mais do que o necessário, Bennett.

— É muito complicado, Brooke.

— Não. Você viu Anna com outro cara e surtou.

— Acho que é um pouco mais complexo que isso.

Minha irmã fica olhando para mim.

Fixo os olhos no céu e passo as mãos pelo cabelo.

— Escute, sei o que vi. Anna vai ter uma vida melhor sem mim. Toda vez que volto lá, só a afasto do futuro que ela deve ter.

— Mas não é o futuro que ela *quer*. — Brooke coloca o cabelo atrás das orelhas e se debruça sobre o console. — Além do mais, como pode saber que ela não vai fazer tudo de novo, de qualquer jeito? Você a viu feliz em 2005, mas, quando chegar em 2011, ela pode tomar a mesma decisão que na última vez. Voltar e reencontrar você.

— Ah, é, e por quê? Por acaso estamos *destinados* a ficar juntos, ou algo assim?

— Não sei. Talvez. Sim.

— Você é romântica, só isso.

— Pode ser. Mas também sou bem racional.

Deixo a cabeça tombar para o lado direito e olho para ela, que continua:

— O que você viu não importa, porque o futuro não é esculpido em pedra, e você sabe disso. Cada decisão isolada que tomou além daquele momento está alterando o que você viu.

— Ou não está mudando nada.

— Se você não fizer parte da vida dela, nunca vai saber. — Brooke não desvia os olhos de mim. — Vá falar com ela.

Sei que minha irmã tem razão. Já passei mais de um mês sem falar com Anna, e foi terrível. Não acredito que estou fazendo isso por decisão minha agora. Apoio os cotovelos no volante e seguro a cabeça com as mãos.

– Eu vou.

– Ei – diz ela, e viro o pescoço para encará-la. – Agora.

– Agora não.

Minha irmã aumenta a temperatura do aquecedor e esfrega as mãos diante da ventilação.

– Vou ficar bem aqui. Volte em vinte minutos, mais ou menos. Vou esperar.

– Não vou agora – repito, dessa vez mais devagar e dando mais ênfase a cada palavra, porque acho que ela não me ouviu antes.

– Bennett... – começa, baixinho. – Ela está *presa* lá esperando por você. – Seu olhar é triste, como se lamentasse o que aconteceu com nós dois. Mas depois acrescenta: – Como pôde... – E para sem terminar a frase.

Mas Brooke não precisa dizer mais nenhuma palavra. Tudo que tenho que fazer é olhar para ela e, embora nunca a tenha visto fazer essa expressão, sei exatamente o que está pensando. Ela sente vergonha de mim. E deveria mesmo. Como pude fazer isso com Anna?

Tenho que ir. Agora. Além do mais, estou sentindo uma saudade louca esta noite.

Sem me dar mais tempo para pensar, pego meu casaco de lã no banco de trás e o visto. Fecho os olhos e imagino o lugar em que sei que vou encontrar Anna totalmente sozinha.

34

O sol começa a aparecer sobre o horizonte quando chego à trilha da Northwestern University. Diferentemente de todas as vezes que estive aqui antes, tem uma leve camada de neve nos bancos de metal, e quando limpo uma área com a mão, o vento espalha a neve fina em todas as direções.

Vejo Anna imediatamente. Ela está na pista, correndo com passadas largas, os braços ao lado do corpo para dar impulso. Não sei o que está ouvindo no Discman, mas noto seus lábios se movendo, o que me faz sorrir.

Anna faz a curva no começo da reta mais longa da pista, de frente para mim, mas seus olhos estão fixos no chão como se ela estivesse perdida nos próprios pensamentos. Não me mexo, mas alguma coisa chama a atenção dela, porque, antes da curva seguinte, olha na direção dos bancos.

Ela me vê, mas leva alguns segundos para registrar o fato. Reduz a velocidade e para na base da escada semicerrando os olhos como se considerasse completamente impossível o que vê, como se eu fosse fruto da sua imaginação. Levanto a mão e aceno.

Anna sobe a escada correndo, pulando dois degraus por vez, mas, no quarto nível, para e não se aproxima mais. Percebo pela sua expressão que é melhor ficar onde estou.

– O que você está fazendo aqui? – Ela tira o fone de ouvido e o apoia na nuca, com os olhos fixos em mim. – Achei que viesse para o Natal. Ainda faltam quatro dias. – Sua voz sai hesitante, nada a ver com ela.

– Eu sei, mas... não deu para esperar.

Anna olha para a pista, depois para mim. Em seguida, comprime os lábios formando uma linha fina.

– O que não podia esperar?

– Eu devia desculpas a você. – Limpo a neve do banco ao meu lado. – Quer se sentar?

Ela anda em minha direção, mas para de repente. De braços cruzados, olha para o banco gelado e balança a cabeça, recusando meu convite.

– Só queria dizer que sinto muito por aquele dia... no hospital... Fui muito... Não sei por que fiquei tão irritado.

Ela suspira.

– Queria que você tivesse me deixado explicar – murmura ela.

Sua expressão deixa evidente que ela tem alguma coisa importante para me dizer, então, por mais que eu ache que Anna não me deve nenhuma explicação, fico quieto e a deixo falar:

– Nunca tive a intenção de pressionar você para fazer coisas. Nunca tentei fazer você mudar suas regras ou alterar... nada da sua essência. Essa é a última coisa que eu queria. – Ela mexe nas unhas enquanto troca o peso do corpo de um pé para outro. – Acho que fiquei... fascinada. Não só com o que você consegue fazer, mas com... – Ela olha para a pista e tapa o rosto com a mão. – Uau. Achei que tinha mais alguns dias para melhorar esse discurso. Não está mesmo saindo como eu esperava.

É estranho estar tão perto e não tocar nela. Eu me inclino para a frente e sorrio.

— Acho que está bem legal.

Anna baixa a mão, mas mantém a boca tapada. Consigo ver pelos olhos que ela também está sorrindo.

— Continue... Você estava falando alguma coisa sobre ter ficado fascinada. — Eu me aproximo mais um pouco, mas ela mantém os pés fixos na neve e brinca com o fone de ouvido, enrolando e desenrolando o fio com o dedo.

De repente, Anna para de se mexer e olha para mim.

— Sou apaixonada por tudo em você.

Suas palavras me fazem prender a respiração por um instante, e quando a encaro nos olhos, noto uma coisa que não tinha percebido: aquela compreensão pura que me faz lembrar por que contei meu segredo a ela. A admiração, a forma que me olhava como se quisesse sempre me conhecer cada vez mais.

Não suporto mais a distância. Escorrego pelo banco, e a neve se acumula na minha calça jeans.

— Venha cá. — Puxo Anna para perto, afastando as pernas para acomodá-la no meio, e a sinto apoiar os antebraços nos meus ombros e seus olhos se fixarem em mim.

— Eu não devia ter pressionado tanto você para refazer coisas. Quero dizer, é claro que estou feliz por Emma estar bem e serei sempre grata por você ter feito isso acontecer, mas... errei quando o obriguei a fazer o que fez.

— Você não errou e com certeza não me obrigou a nada. — Apoio os dedos no seu quadril. — Fiquei tão curioso quanto você, e eu sabia o que estava fazendo. Eu *nunca* devia ter culpado você. Eu estava bravo, só isso.

– Comigo?
– Não. Comigo.

Seguro seu quadril com mais firmeza e tombo a cabeça para a frente, até encostá-la na barriga de Anna.

– Sabe no que andei pensando?
– Hum?

Ela afaga meu cabelo, e fecho os olhos. Senti falta do toque dela.

– Eu queria poder voar.

Ela ri e sua barriga se empina para a frente.

– Agora você queria voar também?
– Não. Não queria voar *também*, queria voar *em vez de*.
– E por que quer voar?

Mantenho os olhos fixos no chão enquanto desenho círculos com os polegares em sua cintura.

– Ninguém nunca disse: "você não deveria voar" ou "pense em todos os problemas que causaria se pudesse voar", certo? É só sair voando por aí, dar uma olhada na paisagem e voltar. Grande poder, nenhuma responsabilidade.

– Tenho a impressão de que você ficaria entediado de voar por aí o tempo todo.

Ainda estou encarando nossos pés, mas ouço o sorriso na voz dela.

– Talvez. Mas também não queria ter que me preocupar com mudar o passado sem querer. Ou em encontrar acidentalmente outro *eu* e mandar o mais novo de volta para o lugar dele.

Ela passa os dedos pelo meu cabelo de novo.

– Gostou disso, não gostou? – pergunta. – Das reformas?

Afasto a cabeça para poder ver seu rosto e sinto as mãos dela nos meus ombros outra vez. É bom sentir seu toque ali também. Ela se aproxima mais um passo.

– É... gostei. Gostei do que você disse sobre segundas chances. Durante um tempo, quase me senti na obrigação de ter que fazer aquilo, sabe? Parecia... quase... certo. – Balanço a cabeça. – Eu faria de novo. Voltaria por Emma e por aquelas crianças. E teria ajudado seu pai, se pudesse.

Anna levanta meu queixo para me fazer encará-la.

– Você ajudou.

Não digo nada.

– É por causa dele que você acha que não deve mais voltar aqui?

Assinto, embora essa seja só parte da razão.

– Acho que isso não é certo.

– Para você ou para mim?

– Para todo mundo.

Tento afastar a lembrança dela na entrada da garagem daqui a dez anos, olhando para um cara que não sou eu, mas que a faz sorrir como eu.

– Mas acho que para você, principalmente.

Ela suspira fundo.

– Você parece se considerar responsável pelo meu futuro.

Começo a responder, mas ela tapa meus lábios com um dedo.

– Escute. Por favor, não diga nada. Você não é responsável pelo meu futuro, Bennett.

É claro que sou. Seria totalmente diferente se eu nunca tivesse aparecido aqui.

– O futuro é meu.

É, e você merece um mais simples.

– E quero que você faça parte dele.

Você nem devia me *conhecer*.

Ela olha por cima do meu ombro, ao longe.

— Não sei o que você viu quando foi para o futuro, e tenho a sensação de que nunca vai me contar. E não tem problema.
— Ela passa a me encarar bem nos olhos. — Pare de vir aqui, se acha que é errado para você, ou para, sei lá, a sequência de espaço e tempo ou algo assim, mas não pare por minha causa. Desde o começo, você fez tudo isso ter a ver com como estaria afetando o *meu* futuro. Mas também estou afetando o seu. Dessa vez, a escolha é *sua*. O que *você* quer?

Falo a primeira coisa que me vem à cabeça:
— Você.

Os olhos dela brilham.
— Fico feliz em saber disso.
— Mas não é tão simples.
— Por que não?
— Porque não é.

Ela afasta meu cabelo da testa e a beija.
— Quero que você faça parte da minha vida. Quando não fazia, me esforcei ao máximo para trazer você de volta. Por isso estamos aqui. — Ela abre os braços e olha em volta. — Mas quem sabe o que vai acontecer depois? Talvez, daqui a um ano, a gente vá para a faculdade e não queira mais isto. Ou depois de cinco anos vivendo desse jeito, a gente se canse de toda essa distância e incerteza... Você vai cansar de ir e voltar, ou eu vou cansar de esperar por você, ou a situação vai ficar muito difícil, impossível de administrar. Mas, agora, nós dois queremos ficar juntos. Então não acha que é o que devemos fazer?

Olho para ela.
— Já disse que não é tão simples assim.
— Claro que é. — Anna percorre minha bochecha com o polegar. — Na verdade, vamos simplificar ainda mais. Não pre-

ciso de um calendário. Não ligo se você vai estar aqui nos eventos importantes, ou quanto tempo vai ficar toda vez que vier. Só preciso saber que vai voltar.

Seguro um cacho do cabelo dela e o enrolo no dedo, pensando em como tudo isso parecia fácil no começo do ano letivo. Lembro aquele dia em que nos sentamos na minha cama e observamos os pôsteres novos no quarto onde eu começava a me sentir em casa, e que montamos um planejamento. Nossa, como fui arrogante, achando que tinha tudo acertado e que nada nos impediria de ficar juntos, desde que fosse o que nós dois quiséssemos.

– Vai pensar nisso? – pergunta Anna.

Desvio o olhar e assinto.

– Não faça isso – pede Anna.

– O quê?

– Eu sei quando está mentindo. Você não olha para mim.

Fixo os olhos nos dela.

– Vou pensar – digo.

E vou mesmo. Mas sei que não mudarei de ideia.

35

Fisicamente, estou aqui em São Francisco. Mas passei a manhã inteira ausente, pensando o tempo todo no Natal de 1995. Desde que vi Anna na trilha, tento me convencer a voltar lá, mas não posso. Como é Natal aqui, tudo parece inevitável.

Meu pai pega alguma coisa embaixo da árvore e finge ler a etiqueta do último presente.

– Para Brooke, de Bennett – anuncia ele, jogando o pacote para cima.

Brooke pega o presente com as mãos e o sacode com força para tentar adivinhar o que é. Já está rindo enquanto rasga o papel, mas dá um sorriso ainda mais radiante quando vê o que tem dentro.

– Não acredito. – Ela olha para mim e começa a puxar cada uma das dez camisetas "vintage" de shows, uma de cada vez. Caso meus pais desconfiem de alguma coisa, conto como encontrei as peças on-line. Mas, quando Brooke olha para mim, dou um piscadela. Ela abraça a camiseta da *Turnê Mundial de 2007 do Incubus*. – Adoro essa banda! – diz. – Obrigada.

Minha mãe tenta pela terceira vez me fazer comer um doce de aparência grudenta e, de novo, levanto a mão para recusar. Ela baixa o queixo e olha para mim com aquela expressão preocupada que os pais fazem. Não comi muito nos últimos dias, e minha mãe está começando a perceber, por isso pego da bandeja o doce que parece mais simples.

– Bom, acho que acabou. – Meu pai dá uma última olhada embaixo da árvore. Ele se levanta, se empertiga e transfere a bola branca e fofa do chapéu de Papai Noel de um ombro para outro, como se fosse um capelo de formatura. – A troca de presentes de Natal de 2012 está oficialmente concluída – anuncia ele com as mãos na cintura.

Brooke joga uma bola de papel de presente nele e atinge sua testa.

– Vou comprar algumas músicas – falo, mostrando meu cartão presente do iTunes para provar, e Brooke olha para mim, entendendo o que quero dizer. Ela já disse que me dá cobertura, se for preciso, mas isso não significa que goste da ideia.

Começo a recolher meus presentes, enquanto minha mãe leva algumas bandejas para a cozinha, e meu pai a segue com um lixo cheio de papel de presente. Pelo canto do olho, percebo que Brooke está olhando para mim do outro lado do sofá. Assim que junto todas as minhas coisas, começo a me dirigir à escada. Estou no primeiro degrau quando a ouço chamar meu nome, mas balanço a cabeça e continuo subindo sem me virar. De que adianta? Ela vai tentar me convencer outra vez.

Depois de tomar banho e trocar de roupa, pego minha mochila no fundo do armário e dou uma olhada no que tem dentro. Garrafas d'água, café e latas de Red Bull; lenço de papel e uma camiseta limpa, só por precaução; e, no fundo, o álbum de fotos que Anna me deu. Eu o pego, olho as fotos e me sinto mal quando penso em devolvê-lo. Mas não posso mais guardar o álbum aqui.

Guardo-o na mochila e a penduro nos ombros. Não há mais motivo para enrolar, então imagino a lateral da casa de Anna, a pintura amarela descascada, e fecho os olhos. Mas, antes que eu desapareça dali, abro-os de repente.

E lá surge outra vez aquele pensamento ridiculamente idiota. Não só idiota. É arriscado e patético também. Mas essa vai ser minha última viagem por sei lá quanto tempo, e não consigo parar de pensar no cara que estava com ela naquela noite. Saber quem ele é pode me dar um pouco de paz. E eu preciso de um pouco de paz.

Fecho os olhos com força e, antes de desistir, volto a abri-los diante de uma casa verde com detalhes em branco.

Depois de olhar rapidamente em volta para ter certeza de que estou sozinho, espio pela janela da cozinha. Lá dentro, o sr. Greene está no lugar exato, vestindo justamente a mesma roupa, preparando a mesma refeição que ela estava fazendo na última vez em que estive aqui, e não deveria, em 2005.

Vou ficar apenas cinco minutos. Dez, no máximo. Apenas o suficiente para vê-lo.

Confiro a entrada da garagem e vejo que está coberta por uma camada de neve, mas vazia. Quando volto para a janela, a mãe de Anna ainda está diante do fogão, e observo o sr. Greene se aproximar e a abraçar pela cintura. Ele dá um beijo rápido na bochecha dela, que sorri e o afasta, batendo na mão dele com a colher de pau. Ele ri e a beija novamente. Depois se aproxima da pia e olha pela janela que dá para a rua, como se estivesse esperando alguém chegar.

Ela deve aparecer a qualquer segundo. Fico atento aos ruídos na vizinhança, mas não há nada. Silêncio completo.

— Você precisa de alguma coisa para fazer.

Diferentemente da última vez, uma fresta da janela está aberta e consigo ouvir tudo que os dois estão falando. A sra. Greene abre uma gaveta perto da geladeira e pega os talheres de prata.

— Tome — diz ela, entregando-os ao marido. — Arrume a mesa. Você está parecendo uma criança pequena.

— Ah, me deixe, estou animado.

Ele entra na sala de jantar e some do meu campo de visão por alguns minutos. Depois volta de mãos vazias.

— Pegou os copos também? — pergunta a sra. Greene.

— Ainda não, mas vou pegar.

Ele tira quatro copos de água de um armário e volta para pegar quatro taças de vinho.

— Você não acha que está totalmente errado ter que pegar um avião para visitar a família?

A mãe de Anna dá uma gargalhada.

— Pois é, mas você devia ter pensado nisso quando pendurou um mapa-múndi na parede dela e deu alfinetes para que ela marcasse todos os lugares aonde ela iria.

O sr. Greene dá de ombros e leva os copos para a mesa, e fico observando a sra. Greene mexer uma panela.

— Deveria saber que ela nunca ia ficar quieta — diz, mais para si mesma do que para ele.

Eu me lembro do mapa na parede do quarto de Anna, pergunto-me se continua lá e, antes que eu perceba, estou fechando os olhos. Quando os abro, estou no quarto dela. Está escuro, e tenho que piscar algumas vezes até meus olhos se ajustarem. Depois giro devagar no mesmo local, observando tudo.

O tamanho do quarto é o mesmo, só que nada mais é igual. As prateleiras sumiram e, junto, os troféus e CDs que ficavam ali em 1995. Não tem mais fotos nem números de corridas, nem guias de viagem enchendo todas as superfícies dos móveis. O mapa desapareceu, a caixa de alfinetes também. Todas as coisas que eram importantes para a Anna de dezesseis anos não importam mais para ela aos vinte e seis. Não nesta casa, pelo menos.

Mudaram a cama de lugar, agora está perto de outra parede e com uma colcha diferente. Ando até lá devagar e me sento na cama, passo a mão pela colcha, perguntando-me se eles ficam neste quarto quando vêm visitar os Greene. É provável que ele não tenha que dormir no sofá, como eu fazia. Aposto que pode ficar aqui com ela de manhã, em vez de ter que sair escondido antes de amanhecer. Será que desfazem as malas e penduram as roupas lado a lado no armário? O sr. Greene serve café para ele de manhã?

Vir ao quarto dela foi uma má ideia.

Fico de pé e fecho os olhos, depois volto para o meu lugar embaixo da janela da cozinha. Por que será que eles estão demorando tanto para chegar aqui?

Assim que abro os olhos, escuto o ruído de pneus na neve, então espio pela lateral da casa e vou me esconder atrás da árvore, como fiz da última vez.

A luz dos faróis continua a algumas casas de distância, mas o sr. Greene também deve ter ouvido o barulho do carro, porque abre a porta da casa de repente e sai na varanda. Desce a escada da frente e espera na entrada da garagem, mexendo nos botões do seu casaco casual.

Meu coração acelera quando a dianteira do automóvel aparece além da cerca e dois feixes de luz iluminam o gramado coberto de neve.

Acho que dou um grito.

Sinto meu estômago embrulhar, e minha cabeça parece prestes a explodir. Meus olhos estão ardendo e, sem pensar, volto a fechá-los com força. Quando os abro, por fim, estou exatamente no mesmo local de quando parti, bem no meio do meu quarto em São Francisco.

Cambaleio até a cama e me sento. Estou tremendo e suando, mas, quando olho em volta e me dou conta do que acabou de acontecer, começo a rir sem parar. Isso piora muito a dor de cabeça, mas não consigo me controlar.

Estou de volta.

Tremendo, suando, rindo e... de volta.

Eu me levanto, tocando meu rosto, minhas pernas. Bato os pés para tirar das botas a neve de Evanston e a observo acumular no meu tapete de São Francisco. Eu me viro, olhando o quarto onde estou.

Voltei.

Fui *jogado* de volta.

E só tem um motivo para isso ter acontecido.

Anna faz parte do meu futuro, e eu faço parte do dela. E isso é tudo de que eu precisava saber, mesmo que haja um milhão de coisas muito ou pouco importantes que possam dar errado entre o presente e o futuro.

Minha mochila cai quicando na cama, e abro o zíper, pego uma garrafa d'água o mais depressa que consigo e enfio a mão no fundo da bolsa. Quando acho o álbum de fotos de Anna, eu o jogo na cama, onde meus pais podem encontrá-lo facilmente, caso venham aqui enquanto eu estiver fora. Não há motivo para esconder isso, porque Anna não será mais segredo por aqui. Vou cumprir a maior parte das promessas que fiz aos meus pais. Não vou mais sair escondido, não vou mais mentir, mas o "fim das viagens" não vai rolar, no final das contas.

    Faço uma careta quando engulo o Doubleshot e, em seguida, bebo outra garrafa d'água. Volto ao centro do quarto e sacudo os braços. Minhas pernas ainda estão trêmulas quando fecho os olhos.

36

A casa de Anna está da cor que deveria ter em 1995.

Sem me dar tempo de processar mais informações, subo a escada da frente correndo e bato com força à porta. Minha boca continua seca e a cabeça ainda está meio confusa. Sinto o suor brotar na testa, apesar de estar com os sapatos cobertos de neve fresca. Mas, quando a porta se abre e vejo Anna do outro lado, esqueço todo o resto.

Meu coração acelera.

– Oi – falo, passando os dedos no cabelo.

– Oi.

Anna sai e fecha a porta, e eu recuo alguns passos para dar espaço a ela, que fica parada na minha frente. Confusa, parece tentar decifrar minha expressão, mas não consegue. Ela cruza o braço na frente do corpo e segura o próprio cotovelo.

Nem sei por onde começar. Não faço nenhuma ideia do que dizer nesse momento. Tudo em que consigo pensar é que, daqui a dez anos, nós dois estaremos no mesmo carro, voltando para cá, subindo essa escada e entrando juntos na varanda.

Olho para os meus pés, porque não consigo encará-la e escolher as palavras certas ao mesmo tempo.

– Por favor, diga alguma coisa – pede Anna, rindo de nervosismo. – Esse suspense está me matando. – A voz dela sai trêmula.

Fixo meus olhos nos dela.

– Eu estava errado – começo, e as lágrimas escorrem pelas bochechas dela, uma após a outra. – Eu tinha certeza de que não devia fazer parte do seu futuro, mas agora acho... que faço.

Ela comprime os lábios com força e assente enquanto passa as mãos no rosto.

– É claro que faz – diz, olhando para mim, e, ainda com as lágrimas escorrendo pelo rosto, dá um sorriso. *Aquele* sorriso. Meu sorriso. Que pertence a mim mais uma vez.

Dou dois passos para a frente e passo os braços em torno do pescoço dela, enrolo os dedos nos seus cachos e sinto o cheiro do seu cabelo. Percebo quando ela encosta o rosto na minha camiseta e enlaça minha cintura. Anna me aperta com força, ficando o mais perto possível de mim. Permanecemos assim por bastante tempo.

Não sei se eu estava errado. Talvez eu esteja errado agora. Mas, pela primeira vez em mais de um mês, tenho a sensação visceral de estar certo e, aparentemente, estou seguindo meu instinto, ignorando os riscos, as perguntas e as consequências. De novo. Como eu poderia *não* agir assim?

O vento está cortante, e quando finalmente me afasto de Anna, percebo que seu rosto ficou tão vermelho quanto o suéter que ela está usando. Dou um beijo em cada bochecha sua. Depois seguro seu rosto entre as mãos.

Esse beijo é completamente diferente de todos os outros. Não é como aquele que dei na pista outro dia, enquanto eu tentava não enchê-la de falsas esperanças. E não tem nada a ver com o que dei quando apareci aqui pela primeira vez. Na época, eu ainda era muito eufórico e cheio de convicção, e tinha certeza de que poderíamos fazer isso dar certo, apesar das consideráveis probabilidades contrárias. Eu a beijo como se tivesse acabado de voltar de uma longa viagem e me sentisse muito feliz por chegar em casa.

Apoio a testa na dela. Não consigo evitar meu sorriso.

– O que fez você mudar de ideia? – pergunta Anna.

Dou a única resposta que tenho:

– Você. De várias maneiras.

Nós nos beijamos de novo, e dessa vez o beijo parece mais familiar. Imagino o quarto dela no andar de cima, como deve ser, e mal posso esperar para ficar sozinho lá com ela.

Anna se afasta, mas quase não deixa nenhuma distância entre nós.

– Está congelando aqui fora – diz, roçando os lábios nos meus. – Entre. – Ela dá mais um selinho em mim. – Além do mais, você tem presentes para abrir.

Presentes. Plural. Eu só trouxe uma coisa para ela.

– Presentes? – pergunto.

Ela me dá um beijo na bochecha.

– Eu comprei um. E meus pais compraram algumas coisinhas também.

Recuo mais um pouco. Os pais dela? Nem pensei em comprar nada para eles.

– Não se preocupe – diz ela como se estivesse lendo meus pensamentos. – Eles não estão esperando que você dê nada.

Anna segue para a porta da frente e eu vou logo atrás, mas, quando ela abre a porta e entra, eu paro de repente.

Ela se vira e olha para mim. Nossa, ela parece feliz, aliviada, linda e perfeita ali parada, esperando que eu a siga. Devo estar dando um sorriso bobo, ou algo assim, porque ela sorri para mim do nada e pergunta:

— O que foi?

Balanço a cabeça.

— Nada. Eu só estava pensando na primeira vez que vim aqui.

Nós dois matamos aula naquele dia. Eu estava nesse exato lugar na varanda, e Anna entrou e parou também no mesmo local. Quando ela abriu a porta, eu esperava que sentisse medo de mim depois que, inadvertidamente, mostrei o que era capaz de fazer, mas, em vez disso, ela ficou toda agitada e curiosa, ansiosa para ouvir como eu fazia a mágica que podia ter salvado sua vida na noite anterior.

Porém, havia mais alguma coisa na expressão que Anna fez naquele dia. Ela queria me *conhecer*, me conhecer de verdade, e fiquei paralisado, ao me dar conta de que eu queria que ela fosse a pessoa para quem contaria todos os meus segredos.

Eu sabia que não seria simples. Sabia que, se passasse por aquela porta e entrasse em seu mundo, minha vida e a dela mudariam para sempre. Mesmo assim, parecia valer a pena correr o risco por ela. E agora sei que vale.

Então, do mesmo jeito que fiz naquele dia, respiro fundo e entro na casa. Anna fecha a porta.

Eu não deveria estar aqui.

Mas estou.

agradecimentos

Este livro não teria sido possível sem o amor e o apoio incondicionais do meu marido, Mike. Ele garantiu que eu não me esquecesse de comer, assumiu o papel de superpai e ainda arranjou tempo para ler esta história e me dar sua opinião. Ele é o amor da minha vida e vai ficar comigo para sempre, afinal, temos até um cadeado na *Pont des Arts* para provar isso.

É claro que adoro escrever, mas, de vez em quando, isso me afasta dos meus maiores amores: meus filhos. Agradeço a Aidan e Lauren por me permitirem ser escritora e mãe, e por entenderem que é difícil se sobressair nas duas coisas ao mesmo tempo. Meu mundo gira em torno desses dois seres humanos incríveis, e eu não gostaria que fosse de outra maneira.

Nossa, minha família virou um bando de fãs barulhentos! Nem sei por onde começar a agradecer por todas as palavras de apoio e incentivo. Aos muitos, *muitos* membros das famílias Cline/Reinwald e Stone na Irlanda: obrigada do fundo do coração. Vocês tornaram o ano passado muito divertido.

Meus amigos simplesmente me surpreenderam com suas palavras gentis e o apoio constante nessa minha nova empreitada. Um agradecimento especial a Jennifer Fall, que me inspirou com sua história sobre os cadeados do amor.

Quando escrevi *O tempo entre nós*, tive que refletir sobre o tempo que morei em Evanston, Illinois. Escrever *O tempo não para* me levou de volta a uma época ainda mais distante, quando morei em São Francisco depois de terminar a faculdade, época em que seis mulheres incríveis surgiram na minha vida como num passe de mágica. Vocês aparecem nestas páginas, Sonia Painter, Renée Austin, Shanna Draheim, Marie Bahl, Kristin Wahl e Lynette Figueras Spievak. Nossa amizade estava destinada a acontecer. São Francisco é *nossa* cidade. E, sim, somos as pessoas mais divertidas que conhecemos.

Há um ano, eu nem sequer fazia ideia da existência da comunidade de blogueiros literários, mas agora entendo. Esses leitores apaixonados fazem nossas palavras circularem, e sou incrivelmente grata a todos por espalharem notícias sobre livros, não só sobre os *meus*, mas sobre *todos* os livros. E, àqueles que estão sempre difundindo o tempo todo minhas histórias, minha humilde gratidão. Obrigada. Sou igualmente grata aos incríveis livreiros da minha cidade: Books, Inc.; A Great Good Place for Books; Book Passage; Barnes & Noble, Walnut Creek e Orinda Books, obrigada por todo o apoio.

Muitas pessoas que fazem parte da minha vida têm o conhecimento de que preciso, mas não tenho, para as minhas histórias. Minha enorme gratidão a Mark Holmstrom pelas aulas de escalada, e ao Dr. Martin Moran e Dr. Mike Temkin por terem me ajudado a entender mais um quadro médico sobre o qual eu nada sabia.

Minha agente, Caryn Wiseman, que não só representa com grande paixão o meu trabalho, como pacientemente busca inspiração comigo, lê rascunho atrás de rascunho e me encoraja quando eu mais preciso. Obrigada, Caryn.

Sou sempre grata à minha brilhante editora, Lisa Yoskowitz. Não sei se outros autores riem enquanto revisam seus textos, mas comigo acontece isso. Obrigada por amar esses personagens, por se importar tanto com cada palavra e, acima de tudo, simplesmente por ser Lisa-y.

É uma grande honra fazer parte da família Disney-Hyperion. Meu muito obrigado a toda a equipe, e um agradecimento especial a Stephanie Lurie e Suzanne Murphy por acreditarem nestes dois livros desde o princípio, a Whitney Manger por criar outra linda capa, e a meu maravilhoso assessor de imprensa, Jamie Baker.

Este livro foi impresso na JPA Ltda.
Rio de Janeiro – RJ.